Mon Premier
Bescherelle illustré

Claude Kannas

Illustré par
Daniel Blancou, Marie-Anne Bonneterre, Patrick Morize

HATIER

Sommaire

Les sons

Le vocabulaire

La grammaire

La conjugaison

Les sons

Dans cette partie, tu trouveras les principaux sons
et les manières les plus courantes de les écrire.

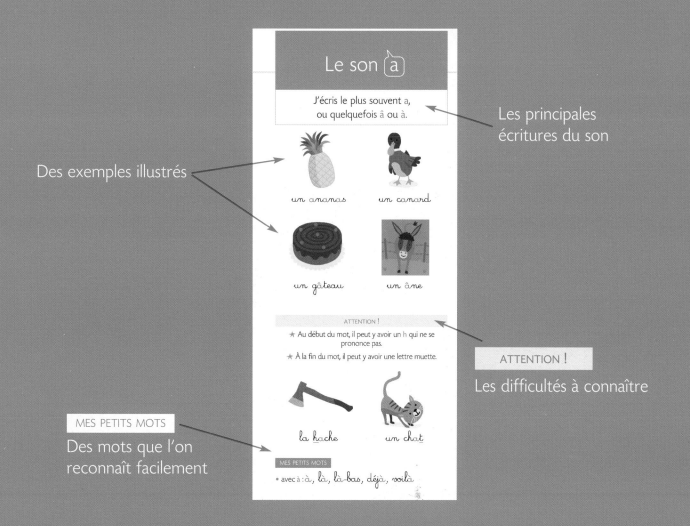

Les principales
écritures du son

Des exemples illustrés

ATTENTION !
Les difficultés à connaître

MES PETITS MOTS
Des mots que l'on
reconnaît facilement

Le son a

J'écris le plus souvent a,
ou quelquefois â ou à.

un ananas

un canard

un gâteau

un âne

ATTENTION !

★ Au début du mot, il peut y avoir un h qui ne se prononce pas.

★ À la fin du mot, il peut y avoir une lettre muette.

la hache

un chat

MES PETITS MOTS

• avec à : à, là, là-bas, déjà, voilà

Le son i

J'écris le plus souvent i,
ou quelquefois î ou y.

un abricot

un livre

une île

un pyjama

ATTENTION !

★ Au début du mot, il peut y avoir un h qui ne se prononce pas.

★ À la fin du mot, il peut y avoir une lettre muette.

un hippopotame

un lit

MES PETITS MOTS

• avec i : si, une pipe, une tirelire

6

Le son u

J'écris u ou quelquefois û.

des cubes

une plume

des mûres

Le feu brûle.

ATTENTION !

★ Au début du mot, il peut y avoir un h qui ne se prononce pas.

★ À la fin du mot, il peut y avoir une lettre muette.

le hublot

la tortue

MES PETITS MOTS

• avec u : du, sur, dur, pur, la rue

Le son ou

J'écris toujours ou.

une souris

un jouet

une fourmi

une poule

ATTENTION !

★ Au début du mot, il peut y avoir un h qui ne se prononce pas.

★ À la fin du mot, il peut y avoir une lettre muette.

la houppette

un loup

MES PETITS MOTS

• avec ou : pour, tout, toujours, le jour

Les sons e

J'écris le plus souvent e.

un genou

un cheval

des cerises

un renard

Quelquefois, j'écris eu.

un jeu

un feu

le docteur

des fleurs

Quelquefois, j'écris œu.

un nœud

des œufs

un œuf

un cœur

MES PETITS MOTS

• avec e : le, me, se, te, ce, de, que, je

• avec eu : un peu, deux, la peur

• avec œu : ma sœur

8

Les sons [o]

J'écris le plus souvent o, quelquefois ô.

un vélo

une moto

une robe

l'hôpital

Quelquefois, j'écris au.

une aubergine

jaune

des dauphins

Il saute.

Quelquefois, j'écris eau.

un gâteau

un bateau

un château

un chameau

MES PETITS MOTS

• avec o ou ô : trop, comme, tôt
• avec au : chaud, haut
• avec eau : beau, l'eau, un manteau
• avec o et au : une auto, un dinosaure

Le son é

J'écris le plus souvent é.

un éléphant

une télévision

une épée

un dé

J'écris e sans accent devant certaines lettres et les lettres doubles.

le nez

les pieds

Il efface.

J'écris er à la fin de certains mots.

un pommier

un cerisier

un épicier

le boulanger

MES PETITS MOTS

- avec é : la santé, l'amitié, la beauté
- avec e sans accent : assez, et
- avec er : le goûter, le déjeuner, le dîner, un cahier

10

Le son è

J'écris è, quelquefois ê.

une chèvre

une flèche

une crêpe

une fenêtre

J'écris e sans accent devant certaines lettres et les lettres doubles.

un texte

un escargot

une pelle

les lettres

Quelquefois, j'écris ai, ei ou et.

le raisin

une maison

une baleine

un bonnet

MES PETITS MOTS

- avec è : mon père, ma mère, après, dès que, près, très
- avec e sans accent : le ciel, la mer, il est
- avec ê : même, une pêche, un rêve, la tête, une bête
- avec ai : mais, jamais, le lait, le balai, une aile, une fraise
- avec ei : la neige, un peigne, la peine

11

Le son an

J'écris an.

un pantalon

une orange

la danse

un fantôme

J'écris en.

des dents

le vent

le ventre

le menton

J'écris am ou em devant b ou p.

un tambour

un champignon

Elle l'embrasse.

un temple

MES PETITS MOTS

• avec an : dans, sans, quand, autant

• avec en ou em : en, cent, le temps

12

Le son in

J'écris **in** ou j'écris **im** devant **b** ou **p**.

un lapin

un moulin

un timbre

une impasse

Quelquefois, j'écris **ain**.

un bain

un train

le pain

une main

Quelquefois, j'écris **ein**.

Le coffre est plein.

la peinture

une ceinture

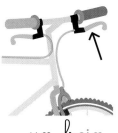
un frein

MES PETITS MOTS • avec in : cinq, vingt • avec ain : maintenant

13

Le son on

J'écris le plus souvent **on**.

un biberon

un rond

une montagne

une fontaine

J'écris **om** devant **b** ou **p**.

de l'ombre

0 1 2 3 4 5 6
7 8 9 10 11 12
13 14 15 16 17
18 19 20 21
22 23 24 25
26 27 28 29

des nombres

les pompiers

une trompe

ATTENTION !

★ J'écris avec **on**.

des bonbons

★ Je ne confonds pas :

un conte

1,2,3,4,5,6,7,8,9,10,
11,12,13,14,15,
16,17,18,19,20...

Il compte.

| MES PETITS MOTS |

• avec on : mon, ton, son, un melon, un pont

• avec om : une ombrelle, une pompe

14

Le son b

J'écris b.

une banane

un crabe

un cartable

un abricot

une robe

des bulles

MES PETITS MOTS

• avec b : bien, bon, bonjour, beaucoup

Le son p

J'écris p ou pp.

un tampon

une jupe

un parapluie

Il pleut.

un appareil

Il frappe.

MES PETITS MOTS

• avec p : par, puis, parce que, pour, plus
• avec pp : un appartement, apporter

15

Le son d

J'écris d.

un dé

les dents

une douche

les doigts

un dragon

ATTENTION !

★ J'écris avec dd.

une addition

MES PETITS MOTS

• avec d : de, dans, dur, doux, droit

Le son t

J'écris t ou tt.

une tente

un toit

des nattes

des bottes

ATTENTION !

★ Quelquefois, j'écris th.

un théâtre

un mammouth

MES PETITS MOTS

• avec t : tu, te, toi, tout, autant, tôt, tard

Le son m

J'écris m ou mm.

une maison

un chameau

le chemin

une pomme

une flamme

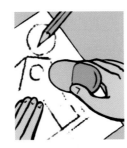
une gomme

Le son n

J'écris n ou nn.

une banane

les nuages

un panneau

un bonnet

ATTENTION !

★ Le féminin des noms en ien ou ion s'écrit toujours nn.

un chien,
une chienne

un lion,
une lionne

Le son r

J'écris r ou rr.

des roses

un crabe

un arrosoir

un torrent

ATTENTION !

★ Avec err, on ne met jamais d'accent sur le e.

un verre

la Terre

MES PETITS MOTS

- avec r : parfois, la mer, une gare
- avec rr : par terre, le beurre
- avec r et rr : arrière, une barrière

Le son l

J'écris l ou ll.

la lune

des fleurs

un village

des ballons

ATTENTION !

★ Avec ell, on ne met jamais d'accent sur le e.

une pelle

Elle est belle.

MES PETITS MOTS

- avec l : le, la, les
- avec ll : une balle, la colle

Le son f

J'écris f ou ff.

une fée

un fantôme

Elle souffle.

un coffre

Quelquefois, j'écris ph.

les phoques

une pharmacie

MES PETITS MOTS

• avec f : afin, j'ai faim, la fin, une fois

Le son v

J'écris le plus souvent v.

une voiture

un livre

le lavabo

les voiles

Quelquefois, j'écris w.

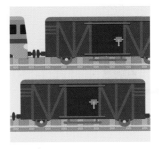
des wagons

MES PETITS MOTS

• avec v : avant, je veux, je vois, je vais

19

Le son [s]

J'écris le plus souvent s ou ss.

 un savon

 un poisson

 un instrument

 une tasse

J'écris aussi c devant e, i et y.

 les cerises

 une glace

 un citron

 un cygne

J'écris aussi ç devant a, o, u.

 Elle berçait sa poupée.

 des glaçons

 J'ai reçu une lettre.

ATTENTION !

★ Le groupe [sion] peut s'écrire avec t : une addition, une opération, attention.

MES PETITS MOTS	
• avec s : sa, son, sur, sous	• avec c : ce, ceci, cela, merci
• avec ss : dessus, dessous	• avec ç : ça

Le son

J'écris j.

la joue

la jupe

le judo

un jardin

J'écris aussi g devant i ou e.

la girafe

une bougie

un nuage

Elle nage.

J'écris aussi ge devant a ou o.

une orangeade

un pigeon

la rougeole

MES PETITS MOTS
• avec j : je, jamais, un jour, jusqu'à

21

Le son g

J'écris **g** devant **r** ou **l**.

une grue

une grenouille

une glace

J'écris aussi **g** devant **a**, **o**, **u**.

une gare

le goûter

un légume

J'écris aussi **gu** devant **e** ou **i**.

une bague

le muguet

une guitare

un guidon

MES PETITS MOTS

• avec g : grand, un garage, un garçon

• avec gu : une guirlande, une baguette, se fatiguer

Le son ch

J'écris le plus souvent ch.

un cheval

une vache

un chat

un chien

un mouchoir

une fourchette

un match

un sandwich

Quelquefois, j'écris sh.

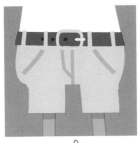
un short

un shampoing

un T-shirt

MES PETITS MOTS • avec ch : chaque, chut !, chez, une chose

23

Le son 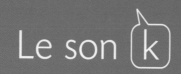 k

J'écris **c** devant **l** ou **r**.

une boucle

un crapaud

un éclair

un crocodile

J'écris aussi **c** devant **a, o, u**.

une cage

un escalier

une école

des cubes

J'écris aussi **qu**.

des raquettes

un requin

Quelquefois, j'écris **k** ou **ch**.

un kangourou

une chorale

MES PETITS MOTS

• avec c : un car, un cœur, court

• avec qu : qui, que, quoi, quand, pourquoi

• avec c et qu : un casque, une coquille

Le son z

J'écris s entre deux voyelles
ou quelquefois z.

du raisin

des cerises

une maison

un baiser

un zoo

un zèbre

- avec s : un cousin, une cousine
- avec z : onze, douze, treize, quatorze, quinze, seize, zéro

Le son gn

J'écris gn.

les montagnes

des champignons

Il a gagné.

une araignée

ATTENTION !

★ Je ne confonds pas gn et gu.

la campagne

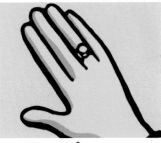

une bague

Le son y devant a, e, o

J'écris y.

 un yaourt

 une paire d'yeux

 un yo-yo

 des crayons

J'écris i.

 un piano

 un cahier

 du miel

 un violon

 un chien

 un Indien

 un camion

MES PETITS MOTS • avec i : un aviateur, un pied, une violette, le lion

Le son (y) après i, a, e...

J'écris ill(e).

une bille

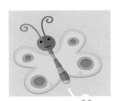
un papillon

une fille

des quilles

J'écris ail ou aill(e).

J'écris eil ou eill(e).

un épouvantail

de la paille

un soleil

une abeille

J'écris euil ou euill(e).

J'écris ouil ou ouill(e).

un écureuil

une feuille

le fenouil

une grenouille

ATTENTION !

★ Si le mot est masculin, il se termine par ail, eil, euil, ouil. ★ Si le mot est féminin, il se termine par aille, eille, euille, ouille.

MES PETITS MOTS

• avec ail ou aille : le travail, une médaille

• avec ouille : une citrouille, la rouille

• avec eil ou eille : un réveil, une oreille

• avec euil : un fauteuil

27

Les sons (wa), (win), (wi)

<table>
<tr><td>

J'écris le plus souvent oi, quelquefois oî.

</td><td>

J'écris oin.

</td></tr>
</table>

un roi

un poisson

le poing

C'est pointu.

un toit

des oiseaux

J'écris wi ou oui.

une poire

une boîte

un kiwi

un ouistiti

MES PETITS MOTS

• avec oi : moi, toi, soi, quoi, pourquoi, une fois, froid

• avec oin : loin, coin, moins

Les lettres muettes

Le h peut être muet au début ou au milieu d'un mot :
il faut y penser quand on cherche un mot par ordre alphabétique.

le théâtre

un cahier

À la fin d'un mot, certaines lettres ne se prononcent pas : elles sont muettes.

une fée

le nez

un drap

le lait

Parfois, on peut trouver la lettre muette en mettant le mot au féminin
ou en cherchant un mot de la même famille : grand, grande, grandeur.

Il est grand, elle est grande.   Il est petit, elle est petite.

ATTENTION !

★ Quand on met un mot au pluriel ou quand on conjugue un verbe, on ajoute souvent des lettres qui ne se prononcent pas :

il mange → ils mangent   un papier → des papiers   un cadeau → des cadeaux

Le vocabulaire

Dans cette partie, les mots sont rangés par ordre alphabétique,
comme dans les dictionnaires.

Rappel de l'ordre alphabétique

Les lettres-repères sont là pour t'aider.

B b ℬ b

A B C D E F G H I J K L M N O P Q R S T U V W X Y Z

Le mot commence par...

ba

baba

Le baba au rhum est un délicieux gâteau.

Je dis *un baba,*
c'est un nom masculin.

bac

Les enfants jouent dans le bac à sable.

Je dis *le bac,*
c'est un nom masculin.

Pour chaque mot,
on te dit s'il s'agit d'un nom,
d'un adjectif ou d'un verbe.

bagarre

Quelle bagarre !
Ils se battent tous !

J'écris *bagarre* avec rr.
Je dis *une bagarre,*
c'est un nom féminin.
MOT DE LA FAMILLE : se bagarrer

Fais attention à l'orthographe !

A a 𝒜 a

 Je vois a et je prononce (a) comme dans *papa*.

ab

abeille

L'abeille est un insecte. Elle vit dans une ruche.

Je dis *une abeille*, c'est un nom féminin.

abricot

L'abricot est un fruit. Il pousse sur un arbre, l'abricotier.

Je dis *un abricot*, c'est un nom masculin.

MOT DE LA FAMILLE : un abricotier

ac

accent

 accent aigu

 accent grave

 accent circonflexe

Un accent sur une lettre peut changer sa prononciation.

Je lis *accent* avec (ks).
Je dis *un accent*, c'est un nom masculin.

accrocher

Papa accroche un tableau au mur.

Je lis *accrocher* avec le son (k).
Je peux dire *j'accroche, tu accroches, il (elle) accroche*, c'est un verbe.

CONTRAIRE : décrocher

acheter

Luc achète des bonbons. Il paie pour les avoir.

Je peux dire *j'achète, tu achètes, il (elle) achète*, c'est un verbe.

CONTRAIRE : vendre

acrobatie

Au cirque, les acrobates font des acrobaties.

Je lis *acrobatie* avec (si).
Je dis *une acrobatie*, c'est un nom féminin.

MOT DE LA FAMILLE : un acrobate

les trapézistes

le funambule

32

ad

addition

Quand je fais une addition,
j'ajoute des nombres,
je les additionne.

Je lis *addition* avec sion.
Je dis *une addition,* c'est un nom féminin.

adresse

J'écris l'adresse de Rémi
sur une enveloppe.

Je dis *une adresse,* c'est un nom féminin.

ae

la tour de contrôle

la piste

aéroport

Les avions décollent et
atterrissent dans les aéroports.

Je lis a|é|ro|port.
Je dis *un aéroport,* c'est un nom masculin.

af

affectueux, affectueuse

Zouzou aime les câlins,
il est affectueux.

Je peux dire *un chien affectueux,*
une chienne affectueuse, c'est un adjectif.

affiche

Le cirque arrive,
c'est écrit sur l'affiche.

Je dis *une affiche,* c'est un nom féminin.

affreux, affreuse

Une personne affreuse
est très laide.

Je peux dire *il est affreux,*
elle est affreuse, c'est un adjectif.

ag

agent

L'agent de police règle
la circulation.

Je dis *un agent,* c'est un nom masculin.

A B C D E F G H I J K L M N O P Q R S T U V W X Y Z

agneau

L'agneau est le petit du bélier et de la brebis.

Je dis *un agneau,* c'est un nom masculin.
Au pluriel : *des agneaux,* avec x.

ai

Quand je vois ai, je prononce presque toujours è comme dans *balai.*

aider

« Aide-moi, c'est trop lourd ! »

Je peux dire *j'aide, tu aides, il (elle) aide,* c'est un verbe.

aiguille

On coud avec du fil et une aiguille.

Je lis ai|gu|ille.
Je dis *une aiguille,* c'est un nom féminin.

ail

Maman met de l'ail dans la salade.

Je dis *de l'ail blanc,* c'est un nom masculin.
On prononce comme dans *rail, travail, méd*aille.

aile

Les oiseaux, les avions ont des ailes pour voler.

Je dis *une aile,* c'est un nom féminin.

aimer

« Mmm ! C'est bon ! J'aime le chocolat ! »

Je peux dire *j'aime, tu aimes, il (elle) aime,* c'est un verbe.
CONTRAIRE : détester

air

- *Martin regarde en l'air.*

- *Clara chante un air de musique.*

Je dis *un air,* c'est un nom masculin.

aj

ajouter

*Zoé ajoute un œuf.
Elle en met un en plus.*

Je peux dire *j'ajoute, tu ajoutes, il (elle) ajoute,* c'est un verbe.

34

al

album

Luc range ses photos dans l'album.

Je lis *album* avec (om).
Je dis *un album*, c'est un nom masculin.

allumer

Pierre allume un feu dans la cheminée.

Je peux dire *j'allume, tu allumes, il (elle) allume*, c'est un verbe.
CONTRAIRE : éteindre

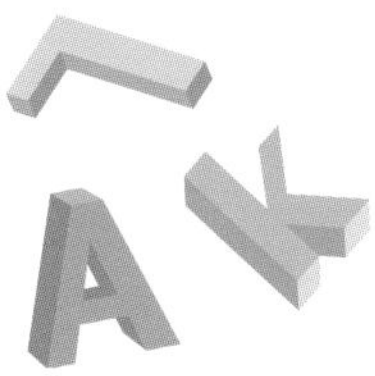

alphabet

Avec les lettres de l'alphabet, je peux écrire tous les mots.

Je dis *un alphabet*, c'est un nom masculin.
MOT DE LA FAMILLE : alphabétique

voyelles	consonnes				
a	b	c	d		
e	f	g	h		
i	j	k	l	m	n
o	p	q	r	s	t
u	v	w	x		
y	z				

am

amande

L'amande est un petit fruit qui pousse sur l'amandier.

Je dis *une amande*, c'est un nom féminin.
MOT DE LA FAMILLE : un amandier

ambulance

On transporte le blessé dans l'ambulance.

J'écris *ambulance* avec un m devant le b.
Je dis *une ambulance*, c'est un nom féminin.

ami, amie

« Voilà mon ami Loïc, et mon amie Zoé. »

Je peux dire *un ami* ou *une amie*, c'est un nom masculin ou féminin selon qu'il s'agit d'un garçon ou d'une fille.
MOT DE LA FAMILLE : l'amitié

amour

Ils s'aiment, c'est le grand amour !

Je dis *un amour*, c'est un nom masculin.

an

 Quand je vois an, je prononce comme dans ca|nard, ou je prononce comme dans ma|man.

ananas

L'ananas est un fruit exotique.

Je dis *un ananas,* c'est un nom masculin.

âne

L'âne a de grandes oreilles.

J'écris *âne* avec â.
Je dis *un âne,* c'est un nom masculin.

angle

Il y a trois angles dans un triangle.

Je dis *un angle,* c'est un nom masculin.

animal

La girafe est un animal.

Au zoo, on voit des animaux.

Je dis *un animal,* c'est un nom masculin.
Au pluriel : *des animaux,* avec aux.

anniversaire

« *J'ai sept ans aujourd'hui, c'est mon anniversaire. J'ai eu un gâteau et un cadeau.* »

Je dis *un anniversaire,* c'est un nom masculin.

ap

apercevoir

On aperçoit un bateau au loin, on le voit un peu.

J'écris *apercevoir* avec un seul p.
Je peux dire *j'aperçois, tu aperçois, il (elle) aperçoit,* c'est un verbe.

appareil

Luc prend des photos avec son appareil.

J'écris *appareil* avec pp.
Je dis *un appareil,* c'est un nom masculin.

appétit

L'ogre a un appétit énorme, il peut manger énormément !

J'écris *appétit* avec pp.
Je dis *un appétit,* c'est un nom masculin.

aq

aquarium

Quels beaux poissons dans l'aquarium !

Je lis *aquarium* avec [kwa].
Je dis *un aquarium*, c'est un nom masculin.

ar

araignée

L'araignée a huit pattes.

Je dis *une araignée*, c'est un nom féminin.

arbre

Souad est assise au pied d'un arbre.

Je dis *un arbre*, c'est un nom masculin.
MOT DE LA FAMILLE : un arbuste

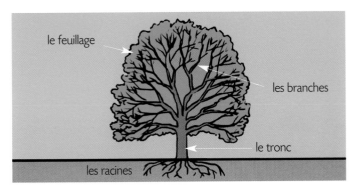

le feuillage
les branches
le tronc
les racines

arc

Luc fait du tir à l'arc, il lance ses flèches sur une cible.

Je dis *un arc*, c'est un nom masculin.

arc-en-ciel

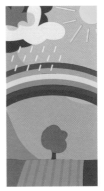

Quand il y a du soleil et qu'il pleut en même temps, on peut voir un arc-en-ciel avec toutes ses couleurs.

Je dis *un arc-en-ciel*, c'est un nom masculin.

ardoise

On peut écrire et effacer sur une ardoise.

Je dis *une ardoise*, c'est un nom féminin.

arête

Les poissons ont des arêtes. Ce sont leurs os à eux.

J'écris *arête* avec un seul r.
Je dis *une arête*, c'est un nom féminin.

argent

Luc paie ses achats avec de l'argent : des billets et des pièces de monnaie.

Je dis *de l'argent européen,* c'est un nom masculin.

armée

Chaque pays a son armée. C'est l'ensemble des militaires, des soldats.

Je dis *une armée,* c'est un nom féminin.

armoire

Marie range ses vêtements dans l'armoire. C'est un meuble.

Je dis *une armoire,* c'est un nom féminin.

arrêter

Le bus s'arrête devant chez moi.

J'écris *arrêter* avec rr.
Je peux dire *j'arrête, tu arrêtes, il (elle) arrête,* c'est un verbe.

MOT DE LA FAMILLE : un arrêt (d'autobus)

arriver

Le train arrive, il vient.

Je peux dire *j'arrive, tu arrives, il (elle) arrive,* c'est un verbe.

MOT DE LA FAMILLE : l'arrivée
CONTRAIRE : partir

arroser

Luc arrose les plantes avec son arrosoir.

Je peux dire *j'arrose, tu arroses, il (elle) arrose,* c'est un verbe.

MOTS DE LA FAMILLE : un tuyau d'arrosage, un arrosoir

artichaut

Pierre mange un artichaut, c'est un légume.

J'écris *artichaut* avec t.
Je dis *un artichaut,* c'est un nom masculin.

as

as

À la bataille, c'est l'as la plus forte carte.

Je dis *un as,* c'est un nom masculin.

ascenseur

Zoé monte dans l'ascenseur.

J'écris *ascenseur* avec sc.
Je dis *un ascenseur*, c'est un nom masculin.

aspirateur

Papa passe l'aspirateur
pour enlever la poussière.

Je dis *un aspirateur*,
c'est un nom masculin.
MOT DE LA FAMILLE : aspirer

asseoir

Pierre est assis,
Marie est assise.
Ils sont assis par terre.

Je peux dire *je m'assois, tu t'assois,
il (elle) s'assoit (ou je m'assieds, tu
t'assieds, il (elle) s'assied)*, c'est un verbe.
On écrit *asseoir* avec un e et
je m'assois, sans e.

assiette

Léa pose une assiette creuse
sur une assiette plate.

Je dis *une assiette*, c'est un nom féminin.

atelier

C'est mon atelier de peinture.
C'est la pièce où je peins.

Je dis *un atelier*, c'est un nom masculin.

attacher

Léa attache le chien
pour qu'il ne parte pas.

Je peux dire *j'attache, tu attaches,
il (elle) attache*, c'est un verbe.
CONTRAIRE : détacher

attendre

Ils attendent l'avion.

Je peux dire *j'attends, tu attends,
il (elle) attend*, c'est un verbe.

attraper

Le chat a attrapé
la souris.

J'écris *attraper* avec tt et un seul p.
Je peux dire *j'attrape, tu attrapes,
il (elle) attrape*, c'est un verbe.

au

 Quand je vois au, je prononce ⓞ comme dans *jaune*.

aubergine

L'aubergine est un légume violet.

Je dis *une aubergine,* c'est un nom féminin.

autobus

Julie monte dans l'autobus.

Je dis *un autobus,* c'est un nom masculin.

automne

L'automne vient après l'été et avant l'hiver. C'est une saison.

Je dis *un bel automne,* c'est un nom masculin. On ne prononce pas le m.

autoroute

On roule vite sur une autoroute.

Je dis *une autoroute,* c'est un nom féminin.

autruche

L'autruche est un gros oiseau qui court très vite mais qui ne vole pas.

Je dis *une autruche,* c'est un nom féminin.

av

avalanche

L'avalanche est une grosse masse de neige qui dévale la montagne.

Je dis *une avalanche,* c'est un nom féminin.

avenue

L'avenue est plus large que la rue.

Je dis *une avenue,* c'est un nom féminin.

avion

L'avion vole dans les airs.

Je dis *un avion,* c'est un nom masculin.

avocat ①

L'avocat est un fruit vert avec un gros noyau.

Je dis *un avocat*, c'est un nom masculin.

avocat, avocate ②

Les avocats défendent leurs clients devant la justice.

Je peux dire *un avocat, une avocate*, c'est un nom masculin ou féminin selon qu'il s'agit d'un homme ou d'une femme.

az

azalée

« Comment s'appelle cette plante ?
– C'est une azalée. »

Je dis *une azalée*, c'est un nom féminin.

B b ℬ b

ba

baba

Le baba au rhum est un délicieux gâteau.

Je dis *un baba*, c'est un nom masculin.

bac

Les enfants jouent dans le bac à sable.

Je dis *le bac*, c'est un nom masculin.

bagarre

Quelle bagarre ! Il faut les séparer !

J'écris *bagarre* avec rr.
Je dis *une bagarre*, c'est un nom féminin.
MOT DE LA FAMILLE : se bagarrer

A B C D E F G H I J K L M N O P Q R S T U V W X Y Z

bague

Julie porte une bague
à son doigt. C'est un bijou.

Je dis *une bague*, c'est un nom féminin.

baguette

La fée a une baguette
magique.

Je dis *une baguette*, c'est un nom féminin.

baignoire

Zoé prend un bain
dans la baignoire.
Elle se baigne tous les soirs.

Je dis *une baignoire*, c'est un nom féminin.
MOTS DE LA FAMILLE : un bain, se baigner

bal

Le prince donne un grand
bal, tout le monde danse.

Je dis *un bal*, c'est un nom masculin.
Je ne confonds pas *un bal* et *une balle*.

balai

Julie passe le balai par terre.
Elle balaie la pièce.

Je dis *un balai*, c'est un nom masculin.
MOT DE LA FAMILLE : balayer

baleine

La baleine n'est pas
un poisson, c'est un
mammifère marin.

J'écris *baleine* avec ei.
Je dis *une baleine*, c'est un nom féminin.

balle

Une balle est plus petite
qu'un ballon.

Je dis *une balle*, c'est un nom féminin.

ballon

Les enfants jouent
au ballon.

Je dis *un ballon*, c'est un nom masculin.

banane

La banane pousse sur un arbre, le bananier.

Je dis *une banane,* c'est un nom féminin.

MOT DE LA FAMILLE : un bananier

banc

Ils sont assis sur un banc.

J'écris *banc* avec c.
Je dis *un banc,* c'est un nom masculin.

bande dessinée

Zoé regarde les dessins et elle lit ce qui est écrit dans les bulles de sa bande dessinée.

Je dis *une bande dessinée,* c'est un nom féminin.

une bulle

baobab

Le baobab est un arbre immense d'Afrique et d'Asie.

Je dis *un baobab,* c'est un nom masculin.

barbe

Elle tire sur la barbe du Père Noël.

Je dis *une barbe,* c'est un nom féminin.

MOTS DE LA FAMILLE : barbu, barbiche, barbichette

barrer

• *La police barre la route, on ne peut plus passer.*

MOTS DE LA FAMILLE : une barrière, un barrage

• *« J'ai barré deux mots dans la liste : je les ai rayés. »*

Je peux dire *je barre, tu barres, il (elle) barre,* c'est un verbe.

bateau

Les bateaux vont sur l'eau.

Je dis *un bateau,* c'est un nom masculin.
Au pluriel : *des bateaux,* avec x.

A B C D E F G H I J K L M N O P Q R S T U V W X Y Z

bâton

La sorcière s'appuie sur son bâton pour marcher.

J'écris *un bâton* avec â.
Je dis *un bâton*, c'est un nom masculin.

be

beau, belle

Qu'il est beau, qu'elle est belle ! Qu'ils sont beaux !

Je peux dire *un beau garçon,*
une belle fille, c'est un adjectif.
Au masculin pluriel : *beaux*, avec x.
MOT DE LA FAMILLE : la beauté
CONTRAIRE : laid

bébé

Le bébé dort dans son petit lit.

Je dis *un bébé*, c'est un nom masculin.

bec

Le canard a un bec jaune tout plat.

Je dis *un bec*, c'est un nom masculin.

beignet

Zoé mange un beignet à la confiture.

Je dis *un beignet*, c'est un nom masculin.

bête

Une bête, c'est un animal. Connais-tu l'histoire de la Belle et la Bête ?

J'écris *bête* avec ê.
Je dis *une bête*, c'est un nom féminin.

beurre

Luc a mis du beurre sur sa tartine, il a beurré sa tartine.

Je dis *le beurre*, c'est un nom masculin.
MOTS DE LA FAMILLE : beurrer, un beurrier

bi

biberon

Le bébé prend son biberon de lait.

Je dis *un biberon*, c'est un nom masculin.

bibliothèque

Il y a beaucoup de livres à la bibliothèque.

Je dis *la bibliothèque,* c'est un nom féminin.

bijou

Elle regarde les bijoux dans la bijouterie.

Je dis *un bijou,* c'est un nom masculin.
Au pluriel : *des bijoux,* avec x.
MOT DE LA FAMILLE : la bijouterie

des bracelets

une bague

un collier

une montre

des boucles

bille

Les enfants jouent aux billes.

Je dis *une bille,* c'est un nom féminin.

bl

blanc, blanche

Zoé porte un chapeau blanc et une jupe blanche.

Je peux dire *il est blanc, elle est blanche,* c'est un adjectif.

blé

Le blé est une céréale.

Je dis *le blé, du blé,* c'est un nom masculin.

blesser

« Je saigne ! Je me suis blessé ! »

Je peux dire *je me blesse, tu te blesses, il (elle) se blesse,* c'est un verbe.
MOT DE LA FAMILLE : la blessure

bleu, bleue

Cette fleur bleue s'appelle un bleuet.

Je peux dire *un ciel bleu, une fleur bleue,* c'est un adjectif.

blouson

Dorothée porte un blouson rouge.

Je dis *un blouson,* c'est un nom masculin.

bo

boa

Le boa est un très grand serpent.

Je dis *un boa,* c'est un nom masculin.

A B C D E F G H I J K L M N O P Q R S T U V W X Y Z

bobine

Le fil est enroulé
sur la bobine.

Je dis *une bobine,* c'est un nom féminin.

boire

Zoé boit un verre
de grenadine,
c'est sa boisson préférée.

Je peux dire *je bois, tu bois, il (elle) boit,*
c'est un verbe.

MOT DE LA FAMILLE : une boisson

bois

• Il y a un petit bois
au bout du chemin,
avec beaucoup d'arbres.

• Pinocchio est un pantin
en bois. Le bois, c'est
la matière de l'arbre.

Je dis *le bois,* c'est un nom masculin.

boîte

Une boîte de chocolats.

J'écris *boîte* avec î.
Je dis *une boîte,* c'est un nom féminin.

bol

Zoé verse du lait dans un bol.

Je dis *un bol,* c'est un nom masculin.

bonbon

« Tu me donnes un bonbon ? »

Je dis *un bonbon,* c'est un nom masculin.

bonnet

« J'ai froid à la tête, je mets
mon bonnet. »

Je dis *un bonnet,* c'est un nom masculin.

botte

« Avec mes bottes en
caoutchouc, je peux marcher
dans les flaques ! »

Je dis *une botte,* c'est un nom féminin.

bouder

Zoé boude dans son coin. Elle n'est pas contente et elle ne veut plus parler à personne.

Je peux dire *je boude, tu boudes, il (elle) boude,* c'est un verbe.

bouteille

Pierre apporte la bouteille d'eau.

Je dis *la bouteille,* c'est un nom féminin.

bouton

Son bouton va partir !

Je dis *un bouton,* c'est un nom masculin.
MOT DE LA FAMILLE : boutonner

br

brouette

Le jardinier transporte les feuilles dans une brouette.

Je dis *une brouette,* c'est un nom féminin.

brûler

« N'approche pas du feu, tu vas te brûler ! »

J'écris *brûler* avec û.
Je peux dire *je me brûle, tu te brûles, il (elle) se brûle,* c'est un verbe.
MOT DE LA FAMILLE : une brûlure

bu

bulle

« Que c'est joli, ces bulles de savon ! »

Je dis *une bulle,* c'est un nom féminin.

47

A B C D E F G H I J K L M N O P Q R S T U V W X Y Z

C c C c

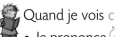

Quand je vois c
- Je prononce $\boxed{s}$ devant e et i : *une cerise, un citron.*
- Je prononce $\boxed{k}$ devant a, o et u : *un café, la colle, un cube.*

Quand je vois ç :

Je prononce $\boxed{s}$: *un caleçon.*

ca

cabane

Il construit une cabane au fond du jardin.

Je dis *une cabane,* c'est un nom féminin.

cacher

Léa s'est cachée derrière l'arbre.

Je peux dire *je me cache, tu te caches, il (elle) se cache,* c'est un verbe.

MOTS DE LA FAMILLE : une cachette, cache-cache

cahier

Julie écrit dans son cahier.

Je dis *un cahier,* c'est un nom masculin.

caillou

Le Petit Poucet sème des cailloux sur son chemin.

Je dis *un caillou,* c'est un nom masculin.
Au pluriel : *des cailloux,* avec x.

caisse

Il ferme la caisse avec des clous.

Je dis *une caisse,* c'est un nom féminin.

calendrier

On trouve les jours, les semaines et les mois sur un calendrier.

Je dis *un calendrier,* c'est un nom masculin.

janvier	février	mars	avril	mai	juin
L 5 12 19 26	L 2 9 16 23	L 1 8 15 22 29	L 5 12 19 26	L 31 3 10 17 24	L 7 14 21 28
M 6 13 20 27	M 3 10 17 24	M 2 9 16 23 30	M 6 13 20 27	M 4 11 18 25	M 1 8 15 22 29
M 7 14 21 28	M 4 11 18 25	M 3 10 17 24 31	M 7 14 21 28	M 5 12 19 26	M 2 9 16 23 30
J 1 8 15 22 29	J 5 12 19 26	J 4 11 18 25	J 1 8 15 22 29	J 6 13 20 27	J 3 10 17 24
V 2 9 16 23 30	V 6 13 20 27	V 5 12 19 26	V 2 9 16 23 30	V 7 14 21 28	V 4 11 18 25
S 3 10 17 24 31	S 7 14 21 28	S 6 13 20 27	S 3 10 17 24	S 1 8 15 22 29	S 5 12 19 26
D 4 11 18 25	D 1 8 15 22	D 7 14 21 28	D 4 11 18 25	D 2 9 16 23 30	D 6 13 20 27

juillet	août	septembre	octobre	novembre	décembre
L 5 12 19 26	L 30 2 9 16 23	L 6 13 20 27	L 4 11 18 25	L 1 8 15 22 29	L 6 13 20 27
M 6 13 20 27	M 31 3 10 17 24	M 7 14 21 28	M 5 12 19 26	M 2 9 16 23 30	M 7 14 21 28
M 7 14 21 28	M 4 11 18 25	M 1 8 15 22 29	M 6 13 20 27	M 3 10 17 24	M 1 8 15 22 29
J 1 8 15 22 29	J 5 12 19 26	J 2 9 16 23 30	J 7 14 21 28	J 4 11 18 25	J 2 9 16 23 30
V 2 9 16 23 30	V 6 13 20 27	V 3 10 17 24	V 1 8 15 22 29	V 5 12 19 26	V 3 10 17 24 31
S 3 10 17 24 31	S 7 14 21 28	S 4 11 18 25	S 2 9 16 23 30	S 6 13 20 27	S 4 11 18 25
D 4 11 18 25	D 1 8 15 22 29	D 5 12 19 26	D 3 10 17 24 31	D 7 14 21 28	D 5 12 19 26

camion

Le camion transporte des marchandises.

Je dis *le camion,* c'est un nom masculin.

canard

Le canard a des pattes palmées et un bec aplati.

Je dis *le canard,* c'est un nom masculin.

cape

Zorro porte une cape noire.

Je dis *une cape,* c'est un nom féminin.

caresser

Léa caresse le chat.

Je peux dire *je caresse le chat, tu caresses le chat, il (elle) caresse le chat,* c'est un verbe.

MOT DE LA FAMILLE : une caresse

carotte

La carotte est un légume de couleur rouge orangé.

J'écris *carotte,* avec un seul r et tt.
Je dis *une carotte,* c'est un nom féminin.

carrosse

Autrefois, les rois et les reines voyageaient en carrosse.

J'écris *carrosse* avec rr et ss.
Je dis *un carrosse,*
c'est un nom masculin.

cartable

Luc met ses cahiers et ses livres dans son cartable.

Je dis *un cartable,*
c'est un nom masculin.

casser

« J'ai cassé un verre ! »

Je peux dire *je casse un verre, tu casses un verre, il (elle) casse un verre,* c'est un verbe.

casserole

L'eau bout dans la casserole.

J'écris *casserole* avec un seul l.
Je dis *une casserole,*
c'est un nom féminin.

castor

Les castors construisent un barrage.

Je dis *un castor*, c'est un nom masculin.

catalogue

Max regarde un catalogue de jeux.

Je dis *un catalogue*, c'est un nom masculin.

cauchemar

Il a fait un cauchemar, ce n'est qu'un mauvais rêve, un rêve qui fait peur.

Je dis *un cauchemar*, c'est un nom masculin.

cave

Grand-père garde son vin dans la cave. C'est une pièce au sous-sol.

Je dis *une cave*, c'est un nom féminin.

ce

ceinture

Léa a une ceinture jaune.

J'écris *ceinture* avec ein.
Je dis *une ceinture*, c'est un nom féminin.

cercle

Julie trace un cercle. C'est un rond.

Je dis *un cercle*, c'est un nom masculin.

cerf

Le cerf porte de grands bois. La biche n'en a pas.

J'écris *cerf* avec f.
Je dis *un cerf*, c'est un nom masculin.

la biche   le cerf   le faon

cerf-volant

Les enfants font voler leur cerf-volant.

Je dis *un cerf-volant,* c'est un nom masculin.

cerise

Les cerises poussent sur un arbre, le cerisier.

Je dis *une cerise,* c'est un nom féminin.

MOT DE LA FAMILLE : le cerisier

ch

Quand je vois ch, je prononce le plus souvent ⌐ch⌐ comme dans *Charles, cheval, chercher.*

Quelquefois, je prononce ⌐k⌐ comme dans *Christian, chorale, chronomètre.*

cha

chaîne

La chèvre est attachée à une chaîne.

J'écris *chaîne* avec î.
Je dis *une chaîne,* c'est un nom féminin.

chaise

Zoé est assise sur une chaise.

Je dis *une chaise,* c'est un nom féminin.

chambre

C'est ma chambre, c'est la pièce où je dors. Il y a mon lit et mon coffre à jouets.

J'écris *chambre* avec un m devant le b.
Je dis *une chambre,* c'est un nom féminin.

chameau

Le chameau a deux bosses sur le dos.

Je dis *le chameau,* c'est un nom masculin.
Au pluriel : *des chameaux,* avec x.

champignon

Les champignons poussent dans les bois.

J'écris *champignon* avec un m devant le p.
Je dis *un champignon,* c'est un nom masculin.

51

chanter

Marie chante une chanson.

Je peux dire *je chante, tu chantes, il (elle) chante,* c'est un verbe.

MOTS DE LA FAMILLE : une chanson, le chant, un chanteur, une chanteuse

chapeau

C'est un chapeau de cow-boy.

Je dis *un chapeau,* c'est un nom masculin.
Au pluriel : *des chapeaux,* avec x.

chat

Le chat miaule.

Je dis *le chat,* c'est un nom masculin.
MOTS DE LA FAMILLE : la chatte, le chaton

château

Au Moyen Âge, les seigneurs vivaient dans des châteaux forts.

J'écris *château* avec â.
Je dis *un château,* c'est un nom masculin.
Au pluriel : *des châteaux,* avec x.

chatouiller

« Hi hi ! Tu me chatouilles ! »

Je peux dire *je te chatouille, tu me chatouilles, ça chatouille,* c'est un verbe.
MOT DE LA FAMILLE : les chatouilles

chaud, chaude

Attention, c'est très chaud !

Je peux dire *le thé est chaud, la soupe est chaude,* c'est un adjectif.

chaussure

Zoé enlève ses chaussures et ses chaussettes pour mettre ses chaussons.

Je dis *une chaussure,* c'est un nom féminin.

che

cheminée

Le feu brûle dans la cheminée.

Je dis *une cheminée,* c'est un nom féminin.

chemise

Luc porte une chemise bleue.

Je dis *une chemise,* c'est un nom féminin.

chercher

« Qu'est-ce qu'il cherche ? »

Je peux dire *je cherche, tu cherches, il (elle) cherche,* c'est un verbe.

cheval

Loïc monte à cheval.

Je dis *un cheval,* c'est un nom masculin.
Au pluriel : *des chevaux,* avec aux.

le poulain
le cheval   la jument

cheveu

Julie a de longs cheveux.
Luc a des cheveux courts.

Je dis *un cheveu,* c'est un nom masculin.
Au pluriel : *des cheveux,* avec x.

bêêêêê !!!

chèvre

La chèvre a de la barbe au menton et deux petites cornes.

Je dis *la chèvre,* c'est un nom féminin.

chi

WOUAF !!!
WOUAF !!!

chien

Le chien aboie.

Je dis *le chien,* c'est un nom masculin.
MOTS DE LA FAMILLE : une chienne, un chiot

1 2 3
4 5 6
7 8 9

chiffre

Luc écrit les chiffres de 1 à 9.

J'écris *chiffre* avec ff.
Je dis *un chiffre,* c'est un nom masculin.

cho

chocolat

Une tablette de chocolat et une boîte de chocolats.

J'écris *chocolat* avec t.
Je dis *le chocolat,* c'est un nom masculin.

A B C D E F G H I J K L M N O P Q R S T U V W X Y Z

53

choisir

Zoé a choisi sa poupée, c'est celle-là qu'elle veut.

Je peux dire *je choisis, tu choisis, il (elle) choisit,* c'est un verbe.

chorale

C'est la chorale de l'école.

Je lis *chorale* avec le son k.
Je dis *une chorale,* c'est un nom féminin.

chou

«Savez-vous planter les choux ?»

Je dis *un chou,* c'est un nom masculin.
Au pluriel : *les choux,* avec x.

ci

ciel

Léa peint un ciel tout bleu.

Je dis *le ciel,* c'est un nom masculin.

cinéma

Au cinéma, on voit des films.

Je dis *un cinéma,* c'est un nom masculin.

cirque

Au cirque, j'aime voir les dompteurs et les gros animaux.

Je dis *le cirque,* c'est un nom masculin.

les spectateurs   la piste   les gradins

citron

Le citron est un fruit jaune.

Je dis *un citron,* c'est un nom masculin.

citrouille

Quelle grosse citrouille !

Je dis *une citrouille,* c'est un nom féminin.

cl

clair, claire

Julie a une chemise claire, presque blanche et un pantalon foncé.

Je peux dire *un bleu clair, une couleur claire,* c'est un adjectif.

CONTRAIRE : foncé

54

clé

Un trousseau de clés.

Je dis *une clé,* c'est un nom féminin.
On écrit aussi *clef,* avec un f qui ne se prononce pas.

cloche

C'est une cloche en chocolat.

Je dis *une cloche,* c'est un nom féminin.
MOTS DE LA FAMILLE : le clocher, une clochette

clown

Luc s'est déguisé en clown.

J'écris *clown* avec w.
Je dis *un clown,* c'est un nom masculin.

CO

coccinelle

Si la coccinelle ouvre ses ailes et s'envole, il fera beau demain.

Je lis *coccinelle* avec [ks].
Je dis *une coccinelle,* c'est un nom féminin.

cochon

Les cochons grognent.

Je dis *un cochon,* c'est un nom masculin.

cœur

Zoé dessine un cœur.

J'écris *cœur* avec œ.
Je dis *un cœur,* c'est un nom masculin.

coffre

Tous les jouets sont dans le coffre.

Je dis *un coffre,* c'est un nom masculin.

coiffer

Léa se coiffe devant le miroir.

Je peux dire *je me coiffe, tu te coiffes, il (elle) se coiffe,* c'est un verbe.
MOTS DE LA FAMILLE : la coiffure, le coiffeur, la coiffeuse

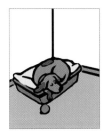

coin

Zouzou dort dans un coin de la pièce.

Je dis *un coin,* c'est un nom masculin.

colère

Zoé tape du pied, elle est en colère.

Je dis *la colère,* c'est un nom féminin.
MOTS DE LA FAMILLE : coléreux, coléreuse

collection

Loïc a une collection d'images. Il en a beaucoup !

Je dis *une collection,* c'est un nom féminin.
MOT DE LA FAMILLE : collectionner

coller

Luc a collé sa photo sur son cahier.

Je peux dire *je colle, tu colles, il (elle) colle,* c'est un verbe.
MOTS DE LA FAMILLE : la colle, un collage

colorier

Léa colorie les dessins, elle fait des coloriages.

Je peux dire *je colorie, tu colories, il (elle) colorie,* c'est un verbe.
MOT DE LA FAMILLE : un coloriage

commode

Mes pulls sont dans la commode.

Je dis *la commode,* c'est un nom féminin.

complet, complète

Il ne manque rien, le jeu est complet.

J'écris *complet* avec un m devant le p.
Je peux dire *un jeu complet, une série complète,* c'est un adjectif.
MOT DE LA FAMILLE : compléter

compter

Pierre sait compter jusqu'à 20 !

J'écris *compter* avec mpt.
Je peux dire *je compte, tu comptes, il (elle) compte,* c'est un verbe.

comptine

Cette chanson est une comptine.

J'écris *comptine* avec mpt, comme dans compter.
Je dis *une comptine,* c'est un nom féminin.

concombre

Maman coupe le concombre.
C'est un légume que l'on mange cru.

J'écris *concombre* avec un m devant le b.
Je dis *un concombre*,
c'est un nom masculin.

conduire

Papa conduit sa voiture.
C'est un bon conducteur.

Je peux dire *je conduis, tu conduis, il (elle) conduit,* c'est un verbe.
MOTS DE LA FAMILLE : un conducteur, une conductrice

confiture

Mmm ! Une tarte avec de la confiture !

Je dis *la confiture,* c'est un nom féminin.

console

Luc a une nouvelle console de jeux.

Je dis *une console,* c'est un nom féminin.

consoler

« Ne pleure pas ! »
Julie console sa petite sœur.

Je peux dire *je la console, tu la consoles, il (elle) la console,* c'est un verbe.

conte

Anouk aime les contes de fées.

J'écris *conte* avec n,
comme dans raconter.
Je dis *un conte,* c'est un nom masculin.

coq

Le coq crie cocorico.

Je dis *le coq,* c'est un nom masculin.

coquelicot

Les coquelicots sont des fleurs des champs.

J'écris *coquelicot* avec t.
Je dis *un coquelicot,* c'est un nom masculin.

coquillage

Sur la plage, on a ramassé des coquillages.

Je dis *un coquillage,* c'est un nom masculin.

coquille

L'escargot a une grosse coquille sur le dos.

Je dis *une coquille,* c'est un nom féminin.

corde

Chacun tire sur la corde.

Je dis *la corde,* c'est un nom féminin.

corps

Le corps humain.

Je lis *corps* sans prononcer le p et le s.
Je dis *le corps,* c'est un nom masculin.

la tête
la main
le bras
le ventre
le pied
la jambe

corriger

J'ai fait une erreur, mais je l'ai corrigée.

Je peux dire *je corrige, tu corriges, il (elle) corrige,* c'est un verbe.

MOT DE LA FAMILLE : une correction

costume

Léa a mis un costume d'Alsacienne.

Je dis *un costume,* c'est un nom masculin.

cou

La girafe a un long cou.

Je dis *un cou,* c'est un nom masculin.

coucher

Zoé s'est couchée pour dormir.

Je peux dire *je me couche, tu te couches, il (elle) se couche,* c'est un verbe.

coude

« Luc ! On ne met pas les coudes sur la table ! »

Je dis *le coude,* c'est un nom masculin.

coudre

Papa sait coudre !

Je peux dire *je couds, tu couds, il (elle) coud,* c'est un verbe.

MOT DE LA FAMILLE : la couture

couleur

Léa mélange ses couleurs.

Je dis *une couleur,* c'est un nom féminin.

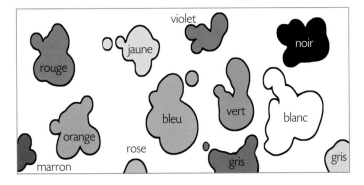

violet
jaune
noir
rouge
bleu
vert
blanc
orange
rose
marron
gris
gris

couper

Zoé coupe du pain.

Je peux dire *je coupe, tu coupes, il (elle) coupe,* c'est un verbe.

cour

On joue dans la cour de l'école.

Je dis *la cour,* c'est un nom féminin.

courir

Le lapin court plus vite que lui !

J'écris *courir* avec un seul r.
Je peux dire *je cours, tu cours, il (elle) court,* c'est un verbe.

court, courte

Léa porte un pantalon trop court.

Je peux dire *un pantalon court, une jupe courte,* c'est un adjectif.

CONTRAIRE : long, longue

couteau

« Attention ! Ce couteau coupe beaucoup, il est dangereux ! »

Je dis *un couteau,* c'est un nom masculin.
Au pluriel : *des couteaux,* avec x.

crabe

Le crabe a une carapace très dure et des pinces qui serrent très fort.

Je dis *un crabe,* c'est un nom masculin.

craie

J'écris avec une craie.

Je dis *une craie,* c'est un nom féminin.

crapaud

Les crapauds vivent près des mares et des étangs.

Je dis *un crapaud,* c'est un nom masculin.

crayon

Une boîte de crayons de couleur.

Je dis *un crayon,* c'est un nom masculin.

crème

Léa aime les fraises à la crème.

J'écris *crème* avec è.
Je dis *la crème,* c'est un nom féminin.

crêpe

« Je voudrais une crêpe au sucre, s'il vous plaît. »

J'écris *crêpe* avec ê.
Je dis *une crêpe,* c'est un nom féminin.
MOT DE LA FAMILLE : une crêperie

creuser

Zouzou creuse un trou.

Je peux dire *je creuse, tu creuses, il (elle) creuse,* c'est un verbe.

cri

L'âne pousse son cri.

Je dis *un cri,* c'est un nom masculin.
MOT DE LA FAMILLE : crier

crocodile

Les crocodiles vivent au bord de l'eau, dans les pays chauds.

Je dis *un crocodile,* c'est un nom masculin.

croix

Il y a une grosse croix verte devant les pharmacies.

J'écris *croix* avec x.
Je dis *une croix,* c'est un nom féminin.

cru, crue

Le lapin mange les carottes crues.

Je peux dire *un aliment cru, une viande crue,* c'est un adjectif.

CONTRAIRE : cuit, cuite

cu

cube

Marie joue avec ses cubes.

Je dis *un cube,* c'est un nom masculin.

cueillir

Luc cueille des cerises.

J'écris *cueillir* avec uei et **je prononce** euil.
Je peux dire *je cueille, tu cueilles, il (elle) cueille,* c'est un verbe.

MOT DE LA FAMILLE : la cueillette

cuillère

La cuillère à soupe et la cuillère à café.

Je dis *une cuillère,* c'est un nom féminin.
On écrit aussi *cuiller.*

cuisine

On fait la cuisine dans la cuisine.

Je dis *la cuisine,* c'est un nom féminin.

MOTS DE LA FAMILLE : cuisiner, un cuisinier, une cuisinière

le congélateur

le réfrigérateur   la cuisinière et le four   le four micro-ondes   la cocotte-minute

curieux, curieuse

Léa est très curieuse, elle veut tout voir, tout savoir.

Je peux dire *il est curieux, elle est curieuse,* c'est un adjectif.

MOT DE LA FAMILLE : la curiosité

cy

cygne

Le cygne peut voler et nager.

J'écris *cygne* avec y.
Je dis *un cygne,* c'est un nom masculin.

A B C D E F G H I J K L M N O P Q R S T U V W X Y Z

D d 𝒟 𝒹

da

daim

Le daim ressemble au cerf, mais il a de petites taches blanches sur le corps.

Je lis *daim* avec le son in, comme dans faim.
Je dis *le daim,* c'est un nom masculin.

dame

« Dis bonjour à la dame ! »

Je dis *une dame,* c'est un nom féminin.

dangereux, dangereuse

« Attention, ici, la route est dangereuse ! »

Je peux dire *un tournant dangereux, une route dangereuse,* c'est un adjectif.
MOT DE LA FAMILLE : le danger

danse

Julie fait de la danse classique.

Je dis *la danse,* c'est un nom féminin.
MOTS DE LA FAMILLE : danser, un danseur, une danseuse

la valse

le rock

le tango

date

Nous sommes le lundi 22 septembre. C'est la date d'aujourd'hui.

J'écris *date* avec un seul t.
Je dis *la date,* c'est un nom féminin.

datte

La datte est un fruit des pays chauds.

J'écris *datte* avec tt.
Je dis *une datte,* c'est un nom féminin.

dauphin

Les dauphins ne sont pas des poissons.
Ce sont des mammifères qui vivent dans la mer.

Je dis *un dauphin,*
c'est un nom masculin.

de

dé

Martin lance le dé.

Je dis *un dé,* c'est un nom masculin.

debout

Zoé et Luc sont debout,
Marie est encore couchée.

Ce mot ne change jamais de forme,
c'est un mot invariable.

déchirer

Sa robe est déchirée.

Je peux dire *je déchire, tu déchires,
il (elle) déchire,* c'est un verbe.

décorer

Luc décore le sapin pour Noël.

Je peux dire *je décore, tu décores,
il (elle) décore,* c'est un verbe.
MOT DE LA FAMILLE : une décoration

découper

Zoé découpe une image.

Je peux dire *je découpe, tu découpes,
il (elle) découpe,* c'est un verbe.
MOT DE LA FAMILLE : le découpage

déguiser

Zoé et Marion se sont déguisées.

Je peux dire *je me déguise, tu te
déguises, il (elle) se déguise,* c'est un verbe.
MOT DE LA FAMILLE : un déguisement

déménagement

Le camion de déménagement
va emporter nos meubles.

Je dis *un déménagement,*
c'est un nom masculin.
MOTS DE LA FAMILLE : déménager,
un déménageur

démolir

« Il a démoli mon château ! »

Je peux dire *je démolis, tu démolis, il (elle) démolit,* c'est un verbe.

dent

« Oh ! Comme il a de grandes dents ! »

Je dis *une dent,* c'est un nom féminin.

MOTS DE LA FAMILLE : un dentifrice, un dentiste

dépanneuse

La dépanneuse est là. Elle va nous dépanner.

Je dis *une dépanneuse,* c'est un nom féminin.

MOT DE LA FAMILLE : dépanner

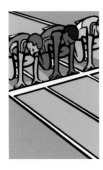

départ

Les coureurs sont sur la ligne de départ.

Je dis *le départ,* c'est un nom masculin.

CONTRAIRE : l'arrivée

dérouler

Il déroule le tapis rouge.

Je peux dire *je déroule, tu déroules, il (elle) déroule,* c'est un verbe.

CONTRAIRE : enrouler

descendre

Luc descend les escaliers.

J'écris *descendre* avec sc.
Je peux dire *je descends, tu descends, il (elle) descend,* c'est un verbe.

MOT DE LA FAMILLE : la descente
CONTRAIRE : monter

désert

Dans le désert, rien ne pousse.

Je dis *le désert,* c'est un nom masculin.

dessert

Et pour le dessert : un gâteau, une glace, un fruit ?

Je dis *le dessert,* c'est un nom masculin.

dessin

Marie fait un dessin,
elle dessine un bonhomme.

Je dis *un dessin,* c'est un nom masculin.

MOT DE LA FAMILLE : dessiner

deviner

« Devine qui c'est ? »

Je peux dire *je devine, tu devines,
il (elle) devine,* c'est un verbe.

MOT DE LA FAMILLE : une devinette

di

différence

Trouve les différences entre
ces deux dessins.

Je dis *une différence,* c'est un nom féminin.

MOT DE LA FAMILLE : différent,
différente

CONTRAIRE : une ressemblance

dinde

La dinde et le dindon.

Je dis *une dinde,* c'est un nom féminin.
Je dis *un dindon,* c'est un nom masculin.

dînette

Léa joue avec sa dînette.

J'écris *dînette* avec î.
Je dis *une dînette,* c'est un nom féminin.

dinosaure

Les dinosaures ont disparu.
Ils existaient bien avant les
êtres humains.

Je dis *un dinosaure,*
c'est un nom masculin.

disputer

Ils se disputent pour
un jouet. Ils ne sont
pas d'accord.

Je peux dire *ils (elles) se disputent,
ils (elles) se sont disputés,* c'est un verbe.

MOT DE LA FAMILLE : une dispute

disque

Marie a acheté un disque,
c'est un CD.

Je dis *un disque,* c'est un nom masculin.

A
B
C
D
E
F
G
H
I
J
K
L
M
N
O
P
Q
R
S
T
U
V
W
X
Y
Z

do

do

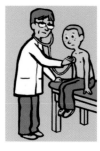

docteur

Luc est malade, le docteur l'examine.

Je dis *un docteur,* c'est un nom masculin. On dit aussi *médecin.*

doigt

On a cinq doigts à chaque main.

Je lis *doigt* sans prononcer le g et le t.
Je dis *un doigt,* c'est un nom masculin.
Les doigts de pied s'appellent *les orteils.*

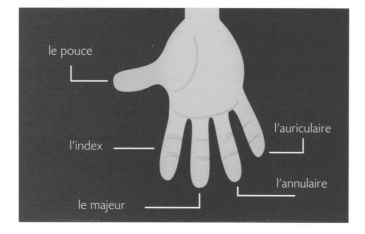

le pouce

l'index

le majeur

l'annulaire

l'auriculaire

domino

Ils jouent aux dominos.

Je dis *un domino,* c'est un nom masculin.

dompteur

Au cirque, le dompteur fait travailler les animaux.

Je dis *un dompteur,* c'est un nom masculin.

donjon

Le donjon est la grande tour du château.

Je dis *un donjon,* c'est un nom masculin.

dormir

Zouzou dort.

Je peux dire *je dors, tu dors, il (elle) dort,* c'est un verbe.

dos

Dans la glace, je peux voir mon dos.

Je dis *le dos,* c'est un nom masculin.

douche

Léa prend une douche.

Je dis *une douche,* c'est un nom féminin.
MOT DE LA FAMILLE : se doucher

dr

dragée

Marie aime les dragées avec des amandes.

Je dis *une dragée,* c'est un nom féminin.

dragon

On dit que les dragons crachent du feu, mais les dragons, ça n'existe pas !

Je dis *un dragon,* c'est un nom masculin.

drap

Il est caché sous son drap !

J'écris *drap* avec p.
Je dis *un drap,* c'est un nom masculin.

drapeau

Le drapeau français est bleu, blanc, rouge.

Je dis *le drapeau,* c'est un nom masculin.
Au pluriel : *des drapeaux,* avec x.

ASSIS !

dresser

Luc essaie de dresser Zouzou, il veut qu'il lui obéisse.

Je peux dire *je dresse le chien, tu dresses le chien, il (elle) dresse le chien,* c'est un verbe.

droit, droite

Luc est droit, Zoé est penchée.

Je peux dire *il est droit, elle est droite,* c'est un adjectif.

dromadaire

Le dromadaire n'a qu'une seule bosse sur le dos.

Je dis *le dromadaire,* c'est un nom masculin.

du

dur, dure

La pierre est dure. L'oreiller est mou.

Je peux dire *un caramel dur, une viande dure,* c'est un adjectif.
CONTRAIRES : mou ou tendre

A B C D E F G H I J K L M N O P Q R S T U V W X Y Z

E e *E e*

ea

eau

L'eau coule à la fontaine.

Je dis *une eau,* c'est un nom féminin.
Au pluriel : *des eaux,* avec x.

eb

ébouriffé, ébouriffée

Pierre est tout ébouriffé, ses cheveux sont en désordre.

Je peux dire *il est ébouriffé, elle est ébouriffée,* c'est un adjectif.

ec

écaille

Ce poisson a des écailles bleues.

Je dis *une écaille,* c'est un nom féminin.

écarter

Zoé écarte les doigts.

Je peux dire *j'écarte, tu écartes, il (elle) écarte,* c'est un verbe.
CONTRAIRE : rapprocher

échelle

C'est la grande échelle des pompiers.

Je dis *une échelle,* c'est un nom féminin.

écho

Hoho

Hoho

Quand on crie dans la montagne, c'est l'écho qui répond.

Je lis *écho* avec le son $[k]$.
Je dis *un écho,* c'est un nom masculin.

éclair

Oh l'éclair ! Il va y avoir de l'orage.

Je dis *un éclair,* c'est un nom masculin.

éclater

• Les enfants éclatent de rire.

• Mon ballon a éclaté.

Je peux dire *j'éclate, tu éclates, il (elle) éclate,* c'est un verbe.

MOT DE LA FAMILLE : un éclat

école

À l'école, on apprend à lire et à écrire.

Je dis *une école,* c'est un nom féminin.

MOTS DE LA FAMILLE : un écolier, une écolière

le tableau · le livre · la maîtresse · le cartable · l'ardoise · le bureau

écouter

Léa raconte une histoire et les enfants l'écoutent.

Je peux dire *j'écoute, tu écoutes, il (elle) écoute,* c'est un verbe.

écrire

Luc écrit son nom.

Je peux dire *j'écris, tu écris, il (elle) écrit,* c'est un verbe.

MOT DE LA FAMILLE : l'écriture

écureuil

L'écureuil aime les noisettes.

J'écris *écur*euil avec euil.
Je dis *un écureuil,* c'est un nom masculin.

ef

effacer

J'efface le tableau avec une éponge.

Je peux dire *j'efface, tu effaces, il (elle) efface,* c'est un verbe.
On écrit ç devant a ou o : *il effaçait, nous effaçons.*

effrayant, effrayante

« J'ai peur, quel monstre effrayant ! »

Je peux dire *il est effrayant, elle est effrayante,* c'est un adjectif.

A B C D E F G H I J K L M N O P Q R S T U V W X Y Z

el

éléphant

L'éléphant a une trompe et des défenses.

Je dis *un éléphant,* c'est un nom masculin.

élève

Les élèves sont assis dans la classe.

Je peux dire *un* ou *une élève,* c'est un nom masculin ou féminin.

em

embrasser

Léa embrasse Marie, elle lui donne un baiser.

J'écris *embrasser* avec un m devant le b.
Je peux dire *j'embrasse, tu embrasses, il (elle) embrasse,* c'est un verbe.

empiler

Zoé empile les cubes.

J'écris *empiler* avec un m devant le p.
Je peux dire *j'empile, tu empiles, il (elle) empile,* c'est un verbe.

en

encre

Maman écrit à l'encre bleue.

Je dis *une encre,* c'est un nom féminin.

endroit

Zoé tient son livre à l'endroit, et Julie à l'envers.

Je dis *à l'endroit,* c'est une expression.
CONTRAIRE : l'envers

enfant

Les enfants font la ronde.

Je peux dire *un* ou *une enfant,* c'est un nom masculin ou féminin.

enfiler

Marie enfile son aiguille.

Je peux dire *j'enfile, tu enfiles, il (elle) enfile,* c'est un verbe.

enfuir

Ils ont fait du bruit et le lapin s'est enfui très vite.

Je peux dire *je m'enfuis, tu t'enfuis, il (elle) s'enfuit,* c'est un verbe.

entendre

Grand-père entend mal.

Je peux dire *j'entends, tu entends, il (elle) entend,* c'est un verbe.

enveloppe

Pierre met sa lettre dans l'enveloppe.

J'écris *enveloppe* avec pp.
Je dis *une enveloppe,* c'est un nom féminin.

envers

Son pull est à l'envers, on voit l'étiquette.

CONTRAIRE : l'endroit

envoler

L'oiseau s'envole.

Je peux dire *je m'envole, tu t'envoles, il (elle) s'envole,* c'est un verbe.

ep

épais, épaisse

Ce mur est très épais, il est très large.

Je peux dire *un mur épais, une planche épaisse,* c'est un adjectif.

MOT DE LA FAMILLE : l'épaisseur

épaule

« Mains aux épaules ! »

Je peux dire *une épaule,* c'est un nom féminin.

épée

Ils se battent à l'épée.

J'écris *épée* avec ée.
Je peux dire *une épée,* c'est un nom féminin.

éplucher

Zoé épluche des pommes pour faire une tarte.

Je peux dire *j'épluche, tu épluches, il (elle) épluche,* c'est un verbe.

MOT DE LA FAMILLE : une épluchure

éponge

L'éponge retient l'eau.

Je dis *une éponge,* c'est un nom féminin.

épouvantail

L'épouvantail fait fuir les oiseaux.

J'écris *épouvant*ail avec ail.
Je dis *un épouvantail,* c'est un nom masculin.

éq

équipe

Zoé fait partie de l'équipe des bleus et Léa de l'équipe des jaunes.

Je dis *une équipe,* c'est un nom féminin.

er

erreur

« C'est faux, tu as fait une erreur. Voici le bon résultat. »

Je dis *une erreur,* c'est un nom féminin.

es

escalader

Pierre et Zoé escaladent le mur, ils grimpent.

Je peux dire *j'escalade, tu escalades, il (elle) escalade,* c'est un verbe.
MOT DE LA FAMILLE : l'escalade

escalier

Luc prend l'escalier mécanique.

Je dis *un escalier,* c'est un nom masculin.

escargot

L'escargot porte sa maison sur le dos.

J'écris *escargot* avec t.
Je dis *un escargot,* c'est un nom masculin.

essence

On fait le plein d'essence.

J'écris *essence* avec ce.
Je dis *une essence,* c'est un nom féminin.

essoufflé, essoufflée

Ils ont couru, ils sont essoufflés.

J'écris *essoufflé* avec ff.
Je peux dire *il est essoufflé, elle est essoufflée*, c'est un adjectif.

essuyer

Après le bain, on s'essuie avec une serviette.

Je peux dire *je m'essuie, tu t'essuies, il (elle) s'essuie*, c'est un verbe.

estrade

Arthur monte sur l'estrade pour aller au tableau.

Je dis *une estrade*, c'est un nom féminin.

et

établi

C'est un établi de menuisier.

Je dis *un établi*, c'est un nom masculin.

étage

Julie a construit une maison avec deux étages.

Je dis *un étage*, c'est un nom masculin.

étang

On pêche dans l'étang.

J'écris *étang* avec g.
Je dis *un étang*, c'est un nom masculin.

été

L'été vient après le printemps, et avant l'automne, c'est une saison.

Je dis *un été*, c'est un nom masculin.

éteindre

Les pompiers éteignent l'incendie.

J'écris *éteindre* avec ein.
Je peux dire *j'éteins, tu éteins, il (elle) éteint*, c'est un verbe.
CONTRAIRE : allumer

A
B
C
D
E
F
G
H
I
J
K
L
M
N
O
P
Q
R
S
T
U
V
W
X
Y
Z

étiquette

Le prix est marqué sur l'étiquette.

Je dis *une étiquette,* c'est un nom féminin.

étoile

La nuit, les étoiles brillent dans le ciel.

Je dis *une étoile,* c'est un nom féminin.

étroit, étroite

Le passage est étroit, on a du mal à passer.

Je peux dire *un passage étroit, une rue étroite,* c'est un adjectif.

CONTRAIRE : large

eu

Les lettres eu se prononcent le plus souvent $\boxed{e}$, comme dans *bleu, pneu, heureux.*

Quelquefois le groupe eu se prononce $\boxed{u}$ comme dans *il a eu,* du verbe *avoir.*

euro

Cela coûte deux euros et cinquante centimes.

Je dis *un euro,* c'est un nom masculin.

ev

évier

La vaisselle est dans l'évier.

Je dis *un évier,* c'est un nom masculin.

ex

Quand je vois ex devant une voyelle, je prononce le plus souvent $\boxed{egz}$: exact.

Devant une consonne, je prononce le plus souvent $\boxed{eks}$: texte.

exact, exacte

C'est exact, c'est juste.

On dit *un compte exact, une opération exacte,* c'est un adjectif.

MOT DE LA FAMILLE : exactement

exagérer

« Le poisson était gros comme ça ! »

Paul exagère, le poisson était plus petit.

Je peux dire *j'exagère, tu exagères, il (elle) exagère,* c'est un verbe.

74

examen

Le médecin lui fait passer un examen des yeux.

Je lis *examen* avec le son in comme dans fin.

MOT DE LA FAMILLE : examiner

excellent, excellente

Mmm ! Cette tarte est excellente ! Elle est très bonne.

J'écris *excellent* avec xc.
Je peux dire *un gâteau excellent, une tarte excellente*, c'est un adjectif.

excuser

Pardon.

Pierre s'est excusé, il a présenté ses excuses.

Je peux dire *je m'excuse, tu t'excuses, il (elle) s'excuse*, c'est un verbe.

MOT DE LA FAMILLE : une excuse

excepté

Tout le monde est en bleu, excepté Luc.

On dit aussi *sauf*.

MOT DE LA FAMILLE : une exception

expliquer

Loïc explique l'exercice à Zoé. Il lui donne des explications.

Je peux dire *j'explique, tu expliques, il (elle) explique*, c'est un verbe.

MOT DE LA FAMILLE : une explication

exposer

Nous exposons nos dessins à la fête de fin d'année. C'est une belle exposition.

Je peux dire *j'expose, tu exposes, il (elle) expose*, c'est un verbe.

MOT DE LA FAMILLE : une exposition

extraterrestre

C'est un extraterrestre, il vient d'une autre planète.

Je dis *un* ou *une extraterrestre*, c'est un nom masculin ou féminin.

F f 𝓕 f

fa

fabriquer

Dans cette usine,
on fabrique des vélos.

Je peux dire *je fabrique, tu fabriques,
il (elle) fabrique,* c'est un verbe.

MOT DE LA FAMILLE : la fabrication

fâcher

Papa a crié, il s'est fâché
contre nous.

J'écris *fâcher* avec â.
Je peux dire *je me fâche, tu te fâches,
il (elle) se fâche,* c'est un verbe.

facteur

Tous les matins, le facteur
apporte le courrier.

Je dis *le facteur,* c'est un nom masculin.

faim

« J'ai faim ! Je voudrais
manger ! Je suis affamé ! »

Je lis *faim* avec le son in,
comme dans daim.
Je dis *la faim,* c'est un nom féminin.
MOTS DE LA FAMILLE : affamé, affamée

famille

Toute la famille sera sur
la photo !

Je dis *la famille,* c'est un nom féminin.

mes grands-parents

mes parents

mon frère et moi

fantôme

« Ouh ! »
J'ai vu un fantôme !

J'écris *fantôme* avec ô.
Je dis *un fantôme,*
c'est un nom masculin.

faon

Le faon est le petit de la biche et du cerf.

Je lis *faon* avec le son `an` comme dans enfant.
Je dis *le faon,* c'est un nom masculin.

farine

Pour faire des crêpes, il faut de la farine.

Je dis *la farine,* c'est un nom féminin.

fatigué, fatiguée

Les coureurs sont fatigués.

Je peux dire *il est fatigué, elle est fatiguée,* c'est un adjectif.
MOTS DE LA FAMILLE : la fatigue, fatiguer

fauteuil

Grand-père est dans son fauteuil.

J'écris *fauteuil* avec euil.
Je dis *un fauteuil,* c'est un nom masculin.

faux, fausse

Il fait beau

C'est faux ! Il ne fait pas beau, il pleut.

Je peux dire *un calcul faux, une histoire fausse,* c'est un adjectif.
CONTRAIRES : juste, vrai

fée

La fée va transformer la citrouille.

Je dis *une fée,* c'est un nom féminin.

femme

« Voilà monsieur Durand et sa femme, madame Durand. »

Je lis *femme* avec le son `a`.
Je dis *une femme,* c'est un nom féminin.

fenêtre

Chloé ouvre la fenêtre.

J'écris *fenêtre* avec ê.
Je dis *une fenêtre,* c'est un nom féminin.

ferme

On va chercher des œufs à la ferme.

Je dis *une ferme,* c'est un nom féminin.
MOTS DE LA FAMILLE : le fermier,
la fermière

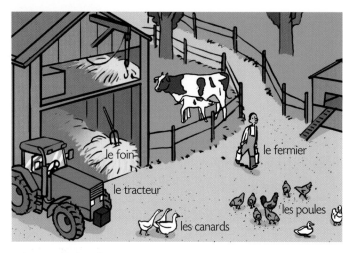

le foin

le tracteur

le fermier

les canards

les poules

fermer

Maman ferme la porte à clé.

Je peux dire *je ferme, tu fermes,
il (elle) ferme,* c'est un verbe.
MOT DE LA FAMILLE : une fermeture
CONTRAIRE : ouvrir

fête

Quelle belle fête !

J'écris *fête* avec ê.
Je dis *une fête,* c'est un nom féminin.
MOT DE LA FAMILLE : fêter

feu

Le feu brûle dans la cheminée.

Je dis *un feu,* c'est un nom masculin.
Au pluriel : *des feux, avec* x.

feuille

• C'est une feuille de marronnier.

• J'écris sur une feuille de papier.

Je dis *une feuille,* c'est un nom féminin.
MOTS DE LA FAMILLE : le feuillage, feuilleter

ficelle

Je ferme mon paquet avec de la ficelle.

Je dis *la ficelle,* c'est un nom féminin.

figure

• Zoé se lave la figure.

• Le cercle, le triangle, le carré sont des figures géométriques.

Je dis *la figure,* c'est un nom féminin.

fil

C'est du fil pour coudre.

Je dis *du fil,* c'est un nom masculin.

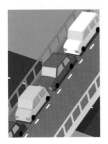

file

Les voitures roulent sur une file.

Je dis *une file,* c'est un nom féminin.

fille

Une poupée fille et une poupée garçon.

Je dis *une fille,* c'est un nom féminin.

fils

Voilà madame Dupont et son fils Nicolas.

Je dis *un fils,* c'est un nom masculin. Il ne faut pas oublier le l qui ne se prononce pas.

finir

« J'ai fini mon histoire ! »

Je peux dire *je finis, tu finis, il (elle) finit,* c'est un verbe.

MOT DE LA FAMILLE : la fin

 fl

flacon

Un flacon de parfum, c'est une petite bouteille.

Je dis *un flacon,* c'est un nom masculin.

flamme

La bougie est allumée, il y a une flamme.

Je dis *une flamme,* c'est un nom féminin.
MOT DE LA FAMILLE : enflammer

flaque

Zoé saute dans une flaque d'eau.

Je dis *une flaque,* c'est un nom féminin.

flèche

On suit la flèche pour sortir.

Je dis *une flèche,* c'est un nom féminin.

A B C D E F G H I J K L M N O P Q R S T U V W X Y Z

fleur

Zoé fait un bouquet de fleurs.

Je dis *une fleur,* c'est un nom féminin.

MOT DE LA FAMILLE : fleurir

la rose   la tulipe   le muguet   la marguerite   le tournesol

flocon

La neige tombe à gros flocons.

Je dis *un flocon,* c'est un nom masculin.

flotter

Mon bateau en papier flotte sur l'eau.

Je dis *je flotte, tu flottes, il (elle) flotte,* c'est un verbe.

flûte

Luc joue de la flûte, c'est un instrument de musique.

J'écris *flûte* avec û.
Je dis *une flûte,* c'est un nom féminin.

fo

foncé, foncée

Julie a un pantalon foncé et une chemise claire.

Je peux dire *un gris foncé, une couleur foncée,* c'est un adjectif.

CONTRAIRE : clair

fondre

Il fait chaud ! Le bonhomme de neige est en train de fondre !

Je peux dire *il (elle) fond, il (elle) a fondu,* c'est un verbe.

football

On joue au football.

Je lis *foot* avec le son ou et *ball* avec le son o.
Je dis *le football,* c'est un nom masculin.

le but   le gardien   les joueurs   l'arbitre

forêt

On se promène dans la forêt.

J'écris *forêt* avec ê.
Je dis *la forêt*, c'est un nom féminin.

forme

Le ballon de foot a une forme ronde, celui de rugby, une forme ovale.

Je dis *une forme*, c'est un nom féminin.

fort, forte

Alex porte tout ! Il est très fort ! Il a beaucoup de force !

Je peux dire *il est fort, elle est forte*, c'est un adjectif.

MOT DE LA FAMILLE : la force

fouet

Le cocher a un fouet.
Il fouette le cheval pour qu'il avance.

Je dis *un fouet*, c'est un nom masculin.

MOT DE LA FAMILLE : fouetter

four

On met le rôti dans le four.

Je dis *le four*, c'est un nom masculin.

fourchette

Loïc mange avec une fourchette.

Je dis *une fourchette*, c'est un nom féminin.

fourmi

Les fourmis rentrent dans leur fourmilière.

J'écris *fourmi* avec i et *fourmilière* avec un seul l.
Je dis *une fourmi*, c'est un nom féminin.

MOT DE LA FAMILLE : une fourmilière

fragile

Les verres sont fragiles, ils se cassent facilement.

Je peux dire *un verre fragile, une porcelaine fragile*, c'est un adjectif.

MOT DE LA FAMILLE : la fragilité
CONTRAIRE : solide

fraise

Maman fait une tarte aux fraises.

Je dis *une fraise,* c'est un nom féminin.

MOT DE LA FAMILLE : le fraisier

framboise

Zoé cueille des framboises.

Je dis *une framboise,*
c'est un nom féminin.

MOT DE LA FAMILLE : le framboisier

frapper

Toc, toc, toc, quelqu'un frappe à la porte.

Je peux dire *je frappe, tu frappes,
il (elle) frappe,* c'est un verbe.

froid, froide

« Brrr, l'eau est trop froide !
Je ne vais pas me baigner ! »

Je peux dire *un temps froid, une eau
froide,* c'est un adjectif.

CONTRAIRE : chaud

l'ananas la banane

la mangue

fruit

Ce sont des fruits exotiques,
ils viennent de loin.

Je dis *un fruit,* c'est un nom masculin.

MOT DE LA FAMILLE : fruité

Voici d'autres fruits.

une orange   les cerises   la framboise   la poire

fu

fumée

La fumée s'échappe par
la cheminée.

Je dis *la fumée,* c'est un nom féminin.

fusée

Le lancement d'une fusée.

Je dis *une fusée,* c'est un nom féminin.

G g *G g*

Le g se prononce g ou j.

Devant a, o ou u, le g se prononce g comme dans *gâteau, goûter, fatigue.*

Devant e, i ou y, le g se prononce j comme dans *genou, singe, gilet, gymnastique.*

ga

gagner

« *J'ai gagné !* »

Je peux dire *je gagne, tu gagnes, il (elle) gagne,* c'est un verbe.
MOTS DE LA FAMILLE : le gagnant, la gagnante
CONTRAIRE : perdre

gai, gaie

Pierre est gai, il rit.

Zoé est triste, elle pleure.

Je peux dire *il est gai, elle est gaie,* c'est un adjectif.
MOT DE LA FAMILLE : la gaieté
CONTRAIRE : triste

galet

On a peint sur des galets, ce sont des pierres plates.

Je dis *un galet,* c'est un nom masculin.

galette

On va partager la galette des rois. Qui aura la fève ?

Je dis *une galette,* c'est un nom féminin.

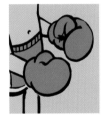

gant

Luc a des gants de boxe.

J'écris *gant* avec t.
Je dis *un gant,* c'est un nom masculin.

garage

La voiture est dans le garage.

Je dis *le garage,* c'est un nom masculin.

garçon

C'est un groupe de garçons, il n'y a pas de filles.

J'écris *garçon* avec ç.
Je dis *un garçon,* c'est un nom masculin.

gare

la gare

les rails   la locomotive   le wagon

Tous les matins, papa prend le train à la gare.

Je dis *la gare,* c'est un nom féminin.

gâteau

Un bon gâteau au chocolat !

J'écris *gâteau* avec â.
Je dis *un gâteau,* c'est un nom masculin.
Au pluriel : *des gâteaux,* avec x.

ge

 Le groupe ge se prononce toujours avec le son j :
un singe, un genou ; il mangeait, nous mangeons.

geler

« On gèle ici, on a très froid ! »

Je peux dire *je gèle, tu gèles, il (elle) gèle,*
c'est un verbe.

genou

Loïc s'est fait mal à un genou.

Je dis *un genou,* c'est un nom masculin.
Au pluriel : *des genoux,* avec x.

gi

 Le groupe gi se prononce toujours avec le son j .

girafe

La girafe a un très long cou.

Je dis *la girafe,* c'est un nom féminin.

gl

glace

• Julie se regarde dans la glace. C'est un miroir.

• On fait du patin sur la glace. C'est de l'eau gelée.

• Léa mange une glace, c'est un dessert très froid.

Je dis *une glace,* c'est un nom féminin.
MOTS DE LA FAMILLE : glacé, un glaçon

glisser

Luc a glissé et il est tombé par terre.

Je peux dire *je glisse, tu glisses, il (elle) glisse,* c'est un verbe.

MOT DE LA FAMILLE : glissant, glissante

go

gobelet

Un gobelet en plastique.

Je dis *un gobelet,* c'est un nom masculin.

gomme

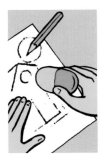

Avec ma gomme, je peux tout effacer.

Je dis *une gomme,* c'est un nom féminin.

MOT DE LA FAMILLE : gommer

gonfler

On gonfle les ballons.

J'écris *gonfler* avec un seul f.
Je peux dire *je gonfle, tu gonfles, il (elle) gonfle,* c'est un verbe.

goûter ①

« Goûte tous ces aliments et dis-moi leur goût. »

J'écris *goûter* avec û.
Je peux dire *je goûte, tu goûtes, il (elle) goûte,* c'est un verbe.

MOT DE LA FAMILLE : le goût

Le bonbon est sucré, la pizza est salée, le citron est acide, le café est amer.

goûter ②

À quatre heures, je prends un goûter.

J'écris *goûter* avec û.
Je dis *un goûter,* c'est un nom masculin.

goutte

J'ai reçu une goutte d'eau, il va pleuvoir !

J'écris *goutte* avec tt.
Je dis *une goutte,* c'est un nom féminin.

MOT DE LA FAMILLE : une gouttelette

gr

grain

On donne du grain aux poules.

Je dis *du grain, un grain,* c'est un nom masculin.

graine

Si on sème des graines, les plantes poussent.

Je dis *une graine,* c'est un nom féminin.

grand, grande

Monsieur Zimmense est vraiment très grand.

Je peux dire *il est grand, elle est grande,* c'est un adjectif.
MOT DE LA FAMILLE : grandir
CONTRAIRE : petit

grêler

Il grêle. La grêle tombe à gros grêlons. C'est de la glace.

Je dis *il grêle,* c'est un verbe.
MOTS DE LA FAMILLE : la grêle, un grêlon

grenouille

La grenouille fait des sauts.

Je dis *la grenouille,* c'est un nom féminin.

griffe

Le chat sort ses griffes.

J'écris *griffe* avec ff.
Je dis *une griffe,* c'est un nom féminin.
MOT DE LA FAMILLE : griffer

grimace

Le singe fait des grimaces.

J'écris *grima*ce avec ce.
Je dis *une grimace,* c'est un nom féminin.

grimper

Il a grimpé en haut de l'arbre.

J'écris *grimper* avec un m devant le p.
Je peux dire *je grimpe, tu grimpes, il (elle) grimpe,* c'est un verbe.

grincer

La grille du jardin grince, elle fait un bruit affreux.

Je peux dire *la grille grince, grinçait, grincera,* c'est un verbe.

gros, grosse

L'hippopotame est beaucoup plus gros que la souris.

Je peux dire *il est gros, elle est grosse,* c'est un adjectif.

MOT DE LA FAMILLE : grossir

grue

Sur le chantier, il y a une grue.

Je dis *une grue,* c'est un nom féminin.

gu

Le groupe gu se prononce toujours g , comme dans *bague*.

guetter

On guette l'arrivée des bateaux.

Je peux dire *je guette, tu guettes, il (elle) guette,* c'est un verbe.

gueule

Le lion ouvre grand sa gueule.

J'écris *gueule* avec ueu.
Je dis *sa gueule,* c'est un nom féminin.

guidon

Le guidon de la bicyclette est rouge.

Je dis *le guidon,* c'est un nom masculin.

guirlande

On installe les guirlandes pour la fête.

Je dis *une guirlande,* c'est un nom féminin.

guitare

Luc joue de la guitare.

Je dis *la guitare,* c'est un nom féminin.

gy

gymnastique

Léa fait de la gymnastique acrobatique.

Je dis *la gymnastique,* c'est un nom féminin.

A B C D E F G H I J K L M N O P Q R S T U V W X Y Z

H h *ℋ h*

Quand je vois h au début d'un mot, je fais comme s'il n'existait pas : je lis les lettres qui suivent.

Mais je fais attention : le h peut être muet ou aspiré.

Quand le h est muet, on fait la liaison :
les hommes (les-z-hommes),
un homme (un-n-homme).

Quand le h est aspiré, on ne fait pas la liaison :
les hamsters (les / hamsters),
un hamster (un / hamster).

ha

habiller

Marie s'habille, elle met ses vêtements, ses habits.

Je peux dire *je m'habille, tu t'habilles, il (elle) s'habille,* c'est un verbe.
MOT DE LA FAMILLE : un habit

habiter

C'est ma maison, c'est là que j'habite.

Je peux dire *j'habite, tu habites, il (elle) habite,* c'est un verbe.
MOT DE LA FAMILLE : un habitant

hache

Il coupe du bois avec une hache.

Je dis *une hache,* c'est un nom féminin. On dit *des / haches,* sans faire la liaison.

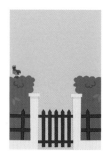

haie

Un oiseau s'est posé sur la haie.

Je dis *une haie,* c'est un nom féminin. On dit *une / haie,* sans faire la liaison.

hamster

Le hamster est dans sa cage.

Je dis *le hamster,* c'est un nom masculin. On dit *des / hamsters,* sans faire la liaison.

haut, haute

Le placard est trop haut.

Je peux dire *un placard trop haut, une étagère trop haute,* c'est un adjectif.
MOT DE LA FAMILLE : la hauteur
CONTRAIRE : bas

he

hélicoptère

L'hélicoptère vole grâce à sa grande hélice.

Je dis *un hélicoptère,* c'est un nom masculin.

herbe

Léa cueille un brin d'herbe.

Je dis *une herbe,* c'est un nom féminin.

hérisson

Le hérisson se met en boule.

Je dis *le hérisson,* c'est un nom masculin.
On dit *des / hérissons,* sans faire la liaison.

heure

La petite aiguille indique les heures et la grande aiguille indique les minutes.

Je dis *une heure,* c'est un nom féminin.

3 heures   3 heures et quart   3 heures et demie   4 heures moins le quart

hi

hibou

Le hibou est un oiseau de nuit.

Je dis *le hibou,* c'est un nom masculin.
Au pluriel : *des hiboux,* avec x et on dit
des / hiboux, sans faire la liaison.

hippopotame

L'hippopotame vit au bord des lacs et des fleuves, en Afrique.

Je dis *un hippopotame,* c'est un nom masculin.

hiver

L'hiver vient après l'automne, c'est une saison.

Je dis *un hiver,* c'est un nom masculin.

ho

hôpital

L'ambulance arrive à l'hôpital.

J'écris *hôpital* avec ô.
Je dis *un hôpital,* c'est un nom masculin.
Au pluriel : *des hôpitaux,* avec aux.

A B C D E F G H I J K L M N O P Q R S T U V W X Y Z

horloge

À la gare, il y a une grande horloge.

Je dis *une horloge,* c'est un nom féminin.

hurler

Il a mal, il hurle, il crie très fort.

Je peux dire *je hurle, tu hurles, il (elle) hurle,* c'est un verbe.

hu

hublot

Dans l'avion, je regarde par le hublot.

Je dis *le hublot,* c'est un nom masculin. On dit des / hublots, sans faire la liaison.

huile

Maman verse de l'huile dans la poêle.

On dit *une huile,* c'est un nom féminin.

huître

Dans les huîtres, il y a quelquefois des perles.

J'écris *huître* avec î.
Je dis *une huître,* c'est un nom féminin.

l i I i

id

idée

« J'ai une idée : si on jouait aux cartes ? »

Je dis *une idée,* c'est un nom féminin.

ig

igloo

Un igloo, c'est une maison de neige très dure.

Je lis *igloo* avec le son ⌐ou⌐.
Je dis *un igloo,* c'est un nom masculin.

il

île

On arrive sur l'île !

J'écris *île* avec î.
Je dis *une île,* c'est un nom féminin.

illustration

Dans mon livre, il y a des illustrations, ce sont des photos et des dessins.

Je dis *une illustration,* c'est un nom féminin.
MOT DE LA FAMILLE : illustrer

im

 Devant b ou p, le groupe im se prononce ⌐in⌐ : *un timbre, une imprimerie.*

image

Léa découpe une image.

Je dis *une image,* c'est un nom féminin.

imiter

Luc imite Zouzou, il fait comme lui.

Je peux dire *j'imite, tu imites, il (elle) imite,* c'est un verbe.

immeuble

Il y a un grand immeuble dans ma rue.

Je dis *un immeuble,* c'est un nom masculin.

A B C D E F G H I J K L M N O P Q R S T U V W X Y Z

impasse

Une impasse, c'est une petite rue fermée à un bout.

Je lis im|passe avec le son (in).
J'écris *impasse* avec un m devant le p.
Je dis *une impasse,*
c'est un nom féminin.

imprimer

Avec mon imprimerie, je peux imprimer des dessins.

Je lis *imprimer* avec le son (in).
J'écris *imprimer* avec un m devant le p.
Je peux dire *j'imprime, tu imprimes, il (elle) imprime,* c'est un verbe.

in

Le groupe in peut se prononcer (in) comme dans *incendie* ou (i-n') comme dans *mine*.

incendie

Les pompiers vont éteindre l'incendie, le feu.

Je dis *un incendie,*
c'est un nom masculin.

infirmier, infirmière

L'infirmière me fait un pansement.

Je peux dire *un infirmier, une infirmière,*
c'est un nom masculin ou féminin.
MOT DE LA FAMILLE : l'infirmerie

inondation

La rivière a débordé, il y a une inondation.

Je dis *une inondation,*
c'est un nom féminin.
MOT DE LA FAMILLE : inondé

insecte

Les insectes ont six pattes et quelquefois des ailes.

Je dis *un insecte,* c'est un nom masculin.

la fourmi

la coccinelle   la mouche   le papillon   la guêpe

instrument

Ce sont des instruments de musique.

Je dis *un instrument,* c'est un nom masculin.

le violon

la flûte   le piano   la guitare

interdire

Il est interdit de passer.

Je peux dire *j'interdis, tu interdis, il (elle) interdit,* c'est un verbe.

interphone

Julie appelle à l'interphone.

Je lis *interphone* avec le son $\boxed{f}$.
Je dis *un interphone,* c'est un nom masculin.

interrupteur

En appuyant sur l'interrupteur, on allume ou on éteint la lumière.

Je dis *un interrupteur,* c'est un nom masculin.

inventer

Monsieur Durand passe son temps à inventer des choses nouvelles.

Je peux dire *j'invente, tu inventes, il (elle) invente,* c'est un verbe.

MOTS DE LA FAMILLE : un inventeur, une invention

ir

iris

L'iris est une grande fleur bleue ou blanche.

Je dis *un iris,* c'est un nom masculin.
On prononce le s à la fin du mot.

it

école

itinéraire

L'itinéraire est en rouge sur le plan, c'est le chemin qu'il faut prendre pour aller de la maison à l'école.

maison

Je dis *un itinéraire,* c'est un nom masculin.

J j *J j*

jaune

Basile peint avec de la peinture jaune.

Je peux dire *une peinture jaune, un crayon jaune,* c'est un adjectif.

MOT DE LA FAMILLE : jaunir

ja

jacinthe

La jacinthe pousse sur une sorte de gros oignon.

J'écris *jacinthe* avec th.
Je dis *la jacinthe,* c'est un nom féminin.

jambe

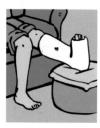

Zoé s'est cassé la jambe.

J'écris *jambe* avec un m devant le b.
Je dis *la jambe,* c'est un nom féminin.

jardin

Il y a un jardin devant la maison.

Je dis *un jardin,* c'est un nom masculin.
MOTS DE LA FAMILLE : le jardinier, le jardinage

je

jean

Pierre porte un jean.

Je lis djin'.
Je dis *un jean,* c'est un nom masculin.

jeter

Emma jette le papier à la poubelle.

Je peux dire *je jette, tu jettes, il (elle) jette,* c'est un verbe.

jeu

Luc aime beaucoup les jeux vidéo.

Je dis *un jeu,* c'est un nom masculin.
Au pluriel : *des jeux,* avec x.

jo

jongler

Léa jongle avec trois balles.

Je peux dire *je jongle, tu jongles, il (elle) jongle,* c'est un verbe.

MOTS DE LA FAMILLE : un jongleur, une jongleuse

jonquille

Les jonquilles sont des fleurs jaunes qui poussent dans les bois.

Je dis *une jonquille,* c'est un nom féminin.

jouer

Luc et Léa jouent au ballon.

Je dis *je joue, tu joues, il (elle) joue,* c'est un verbe.

MOTS DE LA FAMILLE : un joueur, une joueuse, un jouet

jouet

Dans mon coffre, il y a plein de jouets.

Je dis *un jouet,* c'est un nom masculin.

Lundi 4 Avril

jour

Quel jour sommes-nous aujourd'hui ?

Je dis *un jour,* c'est un nom masculin.

journal

Papa achète le journal chez le marchand de journaux.

Je dis *un journal,* c'est un nom masculin.
Au pluriel : *des journaux,* avec aux.

ju

judo

Olivier et Basile font du judo.

Je dis *le judo,* c'est un nom masculin.

jumeau, jumelle

*Loïc a un frère jumeau.
Son jumeau s'appelle Marc.*

*Zoé a une sœur jumelle.
Sa jumelle s'appelle Sophie.*

Quand je dis *un frère jumeau, une sœur jumelle,* c'est un adjectif.
Quand je dis *un jumeau, une jumelle,* c'est un nom masculin ou féminin.
Au masculin pluriel : *des jumeaux,* avec x.

jumelles

Léa regarde les oiseaux avec ses jumelles.

Je dis *des jumelles,* c'est un nom féminin pluriel.

jupe

Marie a une jupe bleue.

Je dis *une jupe,* c'est un nom féminin.

jus

Maman fait du jus d'orange.

Je dis *du jus,* c'est un nom masculin. On ne prononce pas le s.

juste

5+1+3=9

• *L'addition est juste.*

CONTRAIRE : faux

• *Chacun a la même part, c'est juste.*

CONTRAIRE : injuste

Je peux dire *une addition juste, un partage juste,* c'est un adjectif.

K k K k

kangourou

La maman kangourou porte son petit dans une poche sur le ventre.

Je dis *un kangourou,* c'est un nom masculin.

kimono

Luc porte un kimono.

Je dis *un kimono,* c'est un nom masculin.

kiosque

Au carrefour, il y a un kiosque à journaux.

Je dis *un kiosque,* c'est un nom masculin.

kiwi

Le kiwi est un fruit exotique.

Je dis *un kiwi,* c'est un nom masculin.

kl

klaxonner

Cela ne sert à rien de klaxonner dans les embouteillages !

Je peux dire *je klaxonne, tu klaxonnes, il (elle) klaxonne,* c'est un verbe.

ko

koala

Le koala grimpe aux arbres.

Je dis *le koala,* c'est un nom masculin.

L l ℒ ℓ

Le **l** se prononce **l** comme dans *lalalala.*

Après un **i**, le **l** peut se prononcer **y**, comme dans *rail, fille, écureuil.*

À la fin d'un mot, le **l** peut être muet : *un fils, un fusil.*

la

lac

Il y a souvent des lacs en montagne.

Je dis *le lac,* c'est un nom masculin.

lacet

Zoé noue ses lacets.

Je dis *un lacet,* c'est un nom masculin.

laine

Le chat joue avec la laine.

Je dis *la laine,* c'est un nom féminin.

lait

Olivier boit un verre de lait.

J'écris *lait* avec t.
Je dis *le lait,* c'est un nom masculin.

lampe

Emma allume sa lampe électrique.

J'écris *lampe* avec un m devant le p.
Je dis *une lampe,* c'est un nom féminin.

lancer

Luc lance la balle à Zouzou.

Je peux dire *je lance, tu lances, il (elle) lance,* c'est un verbe.
On écrit *nous lançons* avec ç.

langue

Zouzou a soif, il tire la langue.

Je dis *la langue,* c'est un nom féminin.

lapin

Le lapin aime les carottes.

Je dis *le lapin,* c'est un nom masculin.

large

Son pull est très large !

Je peux dire *un pull large, une jupe large,* c'est un adjectif.

MOT DE LA FAMILLE : la largeur
CONTRAIRE : étroit, étroite

lavabo

Luc se lave les mains dans le lavabo.

Je dis *un lavabo,* c'est un nom masculin.

laver

Basile se lave sous la douche.

Je peux dire *je me lave, tu te laves, il (elle) se lave,* c'est un verbe.

le

léger, légère

Ce ballon est très léger !

Je peux dire *un ballon léger, une plume légère,* c'est un adjectif.

MOT DE LA FAMILLE : la légèreté
CONTRAIRE : lourd, lourde

légume

le poireau

les haricots

les carottes

l'aubergine

la pomme de terre

les petits pois

Connais-tu tous ces légumes ?

Je dis *un légume,* c'est un nom masculin.

lent, lente

L'escargot est lent.
Il n'avance pas vite.

Je peux dire *il est lent, elle est lente,*
c'est un adjectif.

CONTRAIRE : rapide

lettre

J'ai reçu une lettre.

Je dis *une lettre,* c'est un nom féminin.

lever

• *Léa se lève à 7 heures.*

• *Léa lève la main.*

Je peux dire *je lève, tu lèves, il (elle) lève,*
c'est un verbe.

lézard

Le lézard se chauffe au soleil.

J'écris *lézard* avec d.
Je dis *un lézard,* c'est un nom masculin.

librairie

On peut acheter des livres dans une librairie.

Je dis *une librairie,* c'est un nom féminin.
MOTS DE LA FAMILLE : le libraire, la libraire

libre

Maintenant, l'oiseau est libre !

Je peux dire *il est libre, elle est libre,*
c'est un adjectif.

MOT DE LA FAMILLE : la liberté

licorne

Dans les légendes, la licorne a une longue corne au milieu du front.

Je dis *une licorne,* c'est un nom féminin.

ligne

Zoé écrit sur les lignes.

Je dis *une ligne,* c'est un nom féminin.

linge

Le linge sèche au soleil.

Je dis *le linge,* c'est un nom masculin.

lion, lionne

Le lion, la lionne et les lionceaux.

Je dis *le lion,* c'est un nom masculin.
Je dis *la lionne,* c'est un nom féminin.

lire

Olivier lit un livre. Il aime lire, il aime la lecture.

Je peux dire *je lis, tu lis, il (elle) lit,* c'est un verbe.

MOT DE LA FAMILLE : la lecture

liste

Maman fait la liste des courses.

Je dis *la liste,* c'est un nom féminin.

lit

Zoé a un lit pour sa poupée.

J'écris *lit* avec t.
Je dis *un lit,* c'est un nom masculin.

livre

J'ai eu un beau livre pour mon anniversaire.

Je dis *un livre,* c'est un nom masculin.

lo

locomotive

La locomotive tire le train.

Je dis *la locomotive,* c'est un nom féminin.

long, longue

Maman porte un manteau long sur une robe longue.

Je peux dire *un manteau long, une robe longue,* c'est un adjectif.

MOT DE LA FAMILLE : la longueur
CONTRAIRE : court, courte

loup

Le loup va-t-il manger le Petit Chaperon rouge ?

J'écris *loup* avec p.
Je dis *le loup,* c'est un nom masculin.
La femelle du loup est la louve.

loupe

On voit plus gros avec une loupe.

Je dis *une loupe,* c'est un nom féminin.

lourd, lourde

La valise est trop lourde !

Je peux dire *ce sac est lourd, cette valise est lourde,* c'est un adjectif.
CONTRAIRE : léger, légère

lu

luge

L'hiver, on fait de la luge !

Je dis *la luge,* c'est un nom féminin.

lumière

Toutes les lumières sont allumées !

Je dis *la lumière,* c'est un nom féminin.

lune

La nuit, on voit la lune.

Je dis *la lune,* c'est un nom féminin.

lunettes

Zoé porte des lunettes rondes pour lire.

Je dis *des lunettes,* c'est un nom féminin pluriel.

M m 𝓜 𝓶

ma

machine

On met le linge dans la machine à laver.

Je dis *la machine,* c'est un nom féminin.

magasin

« Regarde, un magasin, de jouets ! »

J'écris *magasin* avec s.
Je dis *un magasin* c'est un nom masculin.

magazine

Maman lit des magazines.

J'écris *magazine* avec z.
Je dis *un magazine,*
c'est un nom masculin.

magie

Le magicien fait sortir un lapin de son chapeau, c'est un tour de magie.

Je dis *la magie,* c'est un nom féminin.
MOTS DE LA FAMILLE : magique, un magicien, une magicienne

maigre

Ce chien est trop maigre, il n'a que la peau sur les os !

Je peux dire *il est maigre, elle est maigre,* c'est un adjectif.
CONTRAIRE : gros, grosse

maillot

Luc et Julie sont en maillot de bain.

Je lis *maillot* avec ay.
Je dis *un maillot* c'est un nom masculin.

main

Les enfants se tiennent par la main.

Je lis *main* avec le son in.
Je dis *la main,* c'est un nom féminin.

maïs

Le maïs est une céréale.

J'écris *maïs* avec ï.
Je dis *le maïs*, c'est un nom masculin.

maison

C'est une maison avec un étage.

Je dis *la maison*, c'est un nom féminin.

maître, maîtresse

À l'école, j'ai un maître, c'est lui qui m'apprend à lire et à écrire.

J'écris *maître* avec î.
Je dis *un maître*, c'est un nom masculin.
Je dis *une maîtresse*, c'est un nom féminin.

malade

Zoé est malade. Elle doit prendre des médicaments.

Je peux dire *elle est malade, il est malade*, c'est un adjectif.
MOT DE LA FAMILLE : une maladie

manche ①

Zouzou m'a attrapé par la manche.

Je dis *la manche*, c'est un nom féminin.

manche ②

Elle tient le balai par le manche.

Je dis *le manche*, c'est un nom masculin.

manège

On fait un tour de manège ?

Je dis *un manège*, c'est un nom masculin.

manger

Le matin, Emma mange une tartine.

Je peux dire *je mange, tu manges, il (elle) mange*, c'est un verbe.

manteau

L'hiver, il porte un gros manteau.

Je dis *un manteau*, c'est un nom masculin.
Au pluriel : *des manteaux*, avec x.

marché

Au marché, on vend des fruits et des légumes.

Je dis *le marché,* c'est un nom masculin.

marche

Il y a trois marches.

Je dis *une marche,* c'est un nom féminin.

marcher

Vladimir apprend à marcher.

Je peux dire *je marche, tu marches, il (elle) marche,* c'est un verbe.

marguerite

Zoé cueille une marguerite. C'est une fleur des champs.

J'écris *marguerite* avec un seul t.
Je dis *une marguerite,* c'est un nom féminin.

marin

Les marins travaillent sur les bateaux.

Je dis *un marin,* c'est un nom masculin.

marionnette

Il y a des marionnettes à fils, et des marionnettes à doigts !

J'écris *marionnette* avec un seul r et nn.
Je dis *une marionnette,* c'est un nom féminin.

marron

Le marron est le fruit d'un arbre, le marronnier.

Je dis *un marron,* c'est un nom masculin.
MOT DE LA FAMILLE : le marronnier

marteau

Luc plante un clou avec son marteau.

Je dis *un marteau,* c'est un nom masculin.
Au pluriel : *des marteaux,* avec x.

masque

Au bal, chacun portait un masque. C'était un bal masqué.

Je dis *un masque,* c'est un nom masculin.
MOT DE LA FAMILLE : masqué

me

méchant, méchante

« N'approchons pas, ce chien est méchant ! »

Je peux dire *il est méchant, elle est méchante,* c'est un adjectif.

médicament

Zoé prend ses médicaments pour guérir.

Je dis *un médicament,* c'est un nom masculin.

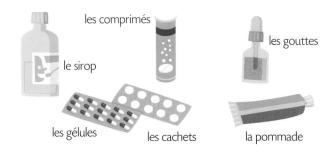

les comprimés

le sirop

les gouttes

les gélules les cachets la pommade

mélanger

Anouk a mélangé le bleu et le jaune pour faire du vert.

Je peux dire *je mélange, tu mélanges, il (elle) mélange,* c'est un verbe.

MOT DE LA FAMILLE : un mélange

ménage

Luc et Julie font le ménage : ils nettoient tout dans la maison.

Je dis *le ménage,* c'est un nom masculin.

menton

La sorcière a un menton pointu.

Je dis *un menton,* c'est un nom masculin.

mer

Nous passons nos vacances au bord de la mer.

Je dis *la mer,* c'est un nom féminin. Il ne faut pas confondre avec *la mère,* la maman.

mesurer

Combien mesures-tu ?

Je peux dire *je mesure, tu mesures, il (elle) mesure,* c'est un verbe.

métro

Maman et moi, nous prenons le métro.

Je dis *le métro,* c'est un nom masculin.

meuble

Zoé installe les meubles dans sa maison de poupée.

Je dis *un meuble,* c'est un nom masculin.

l'armoire   le fauteuil   la commode   le lit   la chaise   la table

mi

micro

Il chante dans le micro et on l'entend de loin.

Je dis *le micro,* c'est un nom masculin.

miel

Zoé prend une cuillère de miel.

Je dis *le miel,* c'est un nom masculin.

miroir

Zouzou se regarde dans le miroir.

Je dis *le miroir,* c'est un nom masculin. On dit aussi *une glace.*

mo

mode ①

Emma est à la mode. Elle s'habille comme dans les magazines.

Je dis *la mode,* c'est un nom féminin.

mode ②

Papa lit le mode d'emploi pour installer la machine.

Je dis *le mode d'emploi,* c'est un nom masculin.

modèle

Zoé suit le modèle pour dessiner son arbre.

Je dis *un modèle,* c'est un nom masculin.

moitié

Martin a pris la moitié du gâteau !

Je dis *la moitié,* c'est un nom féminin.

monde

Il y a du monde dans les magasins !

Je dis *le monde,* c'est un nom masculin.

montagne

Il y a de la neige en haut de la montagne.

Je dis *la montagne,* c'est un nom féminin.

les sommets

le torrent

le lac

monter

Zoé monte les escaliers. Luc les descend.

Je peux dire *je monte, tu montes, il (elle) monte,* c'est un verbe.

CONTRAIRE : descendre

montre

Luc regarde l'heure sur sa montre.

Je dis *une montre,* c'est un nom féminin.

montrer

Vladimir montre du doigt le jouet qu'il veut.

Je peux dire *je montre, tu montres, il (elle) montre,* c'est un verbe.

monument

L'Arc de triomphe est un monument de Paris.

Je dis *un monument,* c'est un nom masculin.

morceau

Le verre s'est cassé en mille morceaux !

Je dis *un morceau,* c'est un nom masculin. Au pluriel : *des morceaux,* avec x.

mordre

«Aïe ! Le chien m'a mordu!»

Je peux dire *je mords, tu mords, il (elle) mord,* c'est un verbe.

MOT DE LA FAMILLE : une morsure

moto

Il faut mettre un casque pour rouler à moto.

Je dis *une moto,* c'est un nom féminin.

mou, molle

L'oreiller est tout mou.

Je peux dire *il est mou, elle est molle,* c'est un adjectif.

CONTRAIRE : dur

mouche

La mouche est un insecte qui vole.

Je dis *une mouche,* c'est un nom féminin.

mouchoir

Basile est enrhumé, il prend un mouchoir.

Je dis *un mouchoir,* c'est un nom masculin.

mouillé, mouillée

Zoé est toute mouillée !

Je peux dire *il est mouillé, elle est mouillée,* c'est un adjectif.

CONTRAIRE : sec, sèche

moule ①

Maman a des moules à gâteaux. Moi, j'ai un moule pour faire des moulages.

Je dis *un moule,* c'est un nom masculin.

MOTS DE LA FAMILLE : le moulage, mouler

moule ②

Luc a trouvé des moules sur les rochers.

Je dis *une moule,* c'est un nom féminin.

moulin

On faisait de la farine dans des moulins comme celui-là.

Je dis *un moulin,* c'est un nom masculin.

mousse

Loïc joue avec la mousse dans son bain, il fait mousser le savon.

Je dis *la mousse,* c'est un nom féminin.
MOT DE LA FAMILLE : mousser

moustache

Pour se déguiser, Olivier met une fausse moustache.

Je dis *une moustache,* c'est un nom féminin.

mouton

Le mouton a le corps couvert de laine.

Je dis *un mouton,* c'est un nom masculin.

muguet

Les fleurs du muguet ont la forme de petites clochettes.

Je dis *le muguet,* c'est un nom masculin.

mur

Il y a un mur autour du château.

Je dis *un mur,* c'est un nom masculin.

mûr, mûre ①

Les fruits mûrs tombent tout seuls de l'arbre.

J'écris *mûr, mûre* avec û.
Je peux dire *un fruit mûr, une poire mûre,* c'est un adjectif.

mûre ②

Zoé cueille des mûres au bord du chemin. Elles poussent dans les ronces.

Je dis *une mûre,* c'est un nom féminin.

muscle

Luc a du muscle ! Il est musclé !

Je dis *un muscle,* c'est un nom masculin.
MOT DE LA FAMILLE : musclé

A B C D E F G H I J K L M N O P Q R S T U V W X Y Z

musée

Au musée, on peut voir des peintures et des sculptures.

J'écris *musée* avec ée.
Je dis *un musée,* c'est un nom masculin.

musique

Luc joue un air de musique, c'est un bon musicien.

Je dis *la musique,* c'est un nom féminin.
MOTS DE LA FAMILLE : un musicien, une musicienne

my

mystère

Qu'est-ce que ça veut dire ? C'est un mystère. On ne comprend pas.

Je dis *un mystère,* c'est un nom masculin.

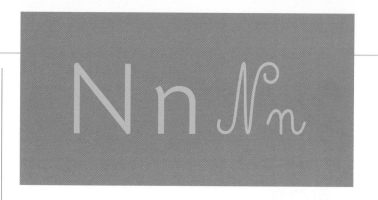

N n *N n*

na

nager

Emma apprend à nager dans la piscine.

Je peux dire *je nage, tu nages, il (elle) nage,* c'est un verbe.

nappe

Luc et Zoé mettent une nappe sur la table.

J'écris *nappe* avec pp.
Je dis *une nappe,* c'est un nom féminin.

natte

Clara se coiffe toujours avec des nattes.

J'écris *natte* avec tt.
Je dis *une natte,* c'est un nom féminin.

ne

neige

On joue dans la neige !

Je dis *la neige,* c'est un nom féminin.

MOT DE LA FAMILLE : neiger

neuf, neuve

Adèle a mis sa robe neuve. C'est celle qu'on vient de lui acheter.

Je peux dire *un pantalon neuf, une jupe neuve,* c'est un adjectif.

nez

Luc a choisi un nez de clown pour se déguiser.

Je dis *un nez,* c'est un nom masculin.

ni

niche

Zouzou dort dans sa niche, c'est sa maison à lui.

Je dis *une niche,* c'est un nom féminin.

nid

Les œufs sont dans le nid.

Je dis *un nid,* c'est un nom masculin.

no

nœud

Elle a un nœud dans les cheveux.

J'écris *nœud* avec œu.
Je dis *un nœud,* c'est un nom masculin.

noir, noire

Luc écrit au feutre noir.

Je peux dire *un crayon noir, une encre noire,* c'est un adjectif.

noisette

La noisette est le fruit d'un arbre, le noisetier.

J'écris *noisette* avec tt, et *noisetier* avec un seul t.
Je dis *une noisette,* c'est un nom féminin.

MOT DE LA FAMILLE : le noisetier

A B C D E F G H I J K L M N O P Q R S T U V W X Y Z

noix

La noix est le fruit du noyer.

J'écris *noix* avec x.
Je dis *une noix,* c'est un nom féminin.

0	1	2	3	4	5	6
7	8	9	10	11	12	
13	14	15	16	17		
18	19	20	21			
22	23	24	25			
26	27	28	29			

nombre

Je connais les nombres jusqu'à 29.

J'écris *nombre* avec un m devant le b.
Je dis *un nombre,* c'est un nom masculin.

note

• Luc a eu une bonne note. C'est bien.

• Do, ré, mi, fa, sol, la, si. Ce sont les sept notes de musique.

Je dis *une note,* c'est un nom féminin.

noyau

La cerise est un fruit à noyau.

Je dis *un noyau,* c'est un nom masculin.
Au pluriel : *des noyaux,* avec x.

nuage

« Regarde les nuages dans le ciel ! »

Je dis *un nuage,* c'est un nom masculin.

nuit

La nuit, on peut voir la lune et les étoiles.

Je dis *la nuit,* c'est un nom féminin.

O o O o

oa

oasis

Dans le désert, on trouve de l'eau dans les oasis.

Je lis *oasis* en prononçant le s.
Je dis *une oasis,* c'est un nom féminin.

ob

obéir

ASSIS!

Zouzou obéit à Zoé.
C'est un chien obéissant.

Je peux dire *j'obéis, tu obéis, il (elle) obéit,* c'est un verbe.
MOTS DE LA FAMILLE : obéissant, l'obéissance

oc

occupé, occupée

La cabine B est occupée.

Je peux dire *le fauteuil est occupé, la chaise est occupée,* c'est un adjectif.
MOT DE LA FAMILLE : occuper
CONTRAIRE : libre

océan

Nous passons l'été au bord de l'océan Atlantique. C'est une très grande mer.

Je dis *un océan,* c'est un nom masculin.

L'océan Atlantique borde la France.

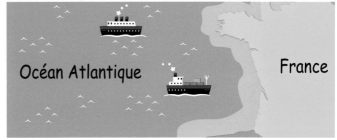

Océan Atlantique   France

od

odeur

Zouzou a du flair, il reconnaît toutes les odeurs.

Je dis *une odeur,* c'est un nom féminin.

SNIF ! SNIF

œ

œil

« J'ai une poussière dans l'œil ! »

Je dis *un œil,* c'est un nom masculin. Au pluriel : *des yeux.*

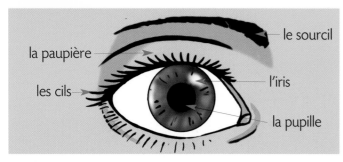

le sourcil

la paupière

les cils

l'iris

la pupille

œuf

La poule a pondu des œufs. La fermière les ramasse.

Je dis *un œuf,* c'est un nom masculin. On dit *un œuf* en prononçant le f et *des œufs* sans prononcer le f.

of

offrir

On m'a offert des cadeaux, on me les a donnés !

Je peux dire *j'offre, tu offres, il (elle) offre,* c'est un verbe.

og

ogre

On dit que l'ogre mange aussi les petits enfants. Mais un ogre, ça n'existe que dans les histoires !

Je dis *un ogre,* c'est un nom masculin.

oi

 Le groupe de lettres oi se prononce (wa) comme dans *oie, joie, fois, quoi, loi, moi, toi,* sauf dans *oignon* qui se prononce avec (o).

oie

L'oie a un bec jaune et un long cou. C'est un oiseau.

Je dis *une oie,* c'est un nom féminin.

oignon

Quand on épluche un oignon, on pleure.

J'écris *oignon,* mais je prononce avec le son (o).
Je dis *un oignon,* c'est un nom masculin.

oiseau

Les oiseaux peuvent voler.
Ils ont des ailes.

Je dis *un oiseau,* c'est un nom masculin.
Au pluriel : *des oiseaux,* avec x.

le canard

un perroquet

le flamant rose   un hibou   le corbeau

ol

olive

L'olive pousse sur un arbre,
l'olivier.

Je dis *une olive,* c'est un nom féminin.
MOT DE LA FAMILLE : un olivier

om

ombre

On est mieux à l'ombre
qu'au soleil !

J'écris *ombre* avec un m devant le b.
Je dis *une ombre,* c'est un nom féminin.

on

ongle

Elle a du vernis rouge sur les
ongles.

Je dis *un ongle,* c'est un nom masculin.

or

orage

L'orage va éclater ! On a vu
l'éclair et maintenant on
entend le tonnerre !

Je dis *un orage,* c'est un nom masculin.

orange

L'orange est un fruit.
Elle pousse sur un arbre,
l'oranger.

Je dis *une orange,* c'est un nom féminin.
MOT DE LA FAMILLE : un oranger

un quartier

des pépins

orchestre

Luc joue dans un orchestre.

Je lis *orchestre* avec le son k.
Je dis *un orchestre,*
c'est un nom masculin.

les percussions

les bois

les cordes

le chef d'orchestre

ordinateur

Léa a un ordinateur.

Je dis *un ordinateur,*
c'est un nom masculin.

oreille

Le chat dresse une oreille.

Je dis *une oreille,* c'est un nom féminin.

oreiller

Que c'est doux un oreiller !

Je dis *un oreiller,* c'est un nom masculin.
On l'appelle comme cela parce
qu'on dort dessus sur nos deux *oreilles* !

orteil

*Les orteils, ce sont les doigts
de pied.*

Je dis *un orteil,* c'est un nom masculin.

os

os

*Zouzou emporte son os pour
le cacher.*

Je dis *un os,* c'est un nom masculin.
On dit *un os* en prononçant le s, et
des os sans prononcer le s.

ou

ourlet

*Marie doit recoudre l'ourlet
de sa jupe.*

J'écris *ourlet* avec t.
Je dis *un ourlet,* c'est un nom masculin.

ours

*Zoé aime toujours son ours
en peluche.*

Je dis *un ours,* c'est un nom masculin.
MOT DE LA FAMILLE : un ourson

outil

Papa range tous ses outils.

Je lis *outil* sans prononcer le l.
Je dis *un outil,* c'est un nom masculin.

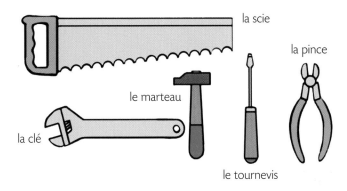

la scie

la pince

le marteau

la clé

le tournevis

ouvrir

Maman ouvre la fenêtre.

Je peux dire *j'ouvre, tu ouvres, il (elle) ouvre,* c'est un verbe.
CONTRAIRE : fermer

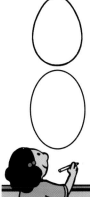

ovale

Zoé dessine une forme ovale, c'est un peu la forme d'un œuf.

J'écris *ovale* avec e, même au masculin.
Je peux dire *un ballon ovale, une forme ovale,* c'est un adjectif.

P p P p

page

Luc tourne les pages de son livre.

Je dis *une page,* c'est un nom féminin.

paille

• *On rentre la paille dans l'étable.*

• *Martin boit son jus d'orange avec une paille.*

Je dis *une paille,* c'est un nom féminin.

pain

Luc a acheté du pain.

Je dis *le pain,* c'est un nom masculin.
Je ne confonds pas *le pain* que l'on mange et *le pin,* l'arbre.

palais

Le roi vit dans un palais.
C'est une immense maison.

Je dis *un palais,* c'est un nom masculin.

une orange

pamplemousse

Le pamplemousse est un
fruit, plus gros qu'une orange.

J'écris *pamplemousse* avec un m devant
le p.
Je dis *un pamplemousse,*
c'est un nom masculin.

panier

Le panier est plein de fruits.

J'écris *panier* avec un seul n.
Je dis *un panier,* c'est un nom masculin.

Attention danger

Endroit fréquenté
par des enfants

Sens interdit

panneau

Dans la rue, chaque
panneau signale quelque
chose.

J'écris *panneau* avec nn.
Je dis *un panneau,* c'est un nom
masculin.
Au pluriel : *des panneaux,* avec x.

pantalon

Luc enfile son pantalon.

Je dis *un pantalon,* c'est un nom masculin.

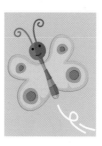

papillon

Il y a des papillons de toutes
les couleurs.

Je dis *un papillon,* c'est un nom masculin.

paquet

Zoé fait un joli paquet pour
son cadeau.

Je dis *un paquet,* c'est un nom masculin.

parapluie

Il pleut, on ouvre les parapluies.

Je dis *un parapluie,* c'est un nom masculin.
Dans le mot *parapluie,* je reconnais
le mot pluie.

parasol

Il y a trop de soleil,
on ouvre les parasols.

Je dis *un parasol,* c'est un nom masculin.
Dans le mot *parasol,* je reconnais sol,
comme dans soleil.

parfum

Maman choisit son parfum pour se parfumer.

J'écris *parfum* avec un m que l'on retrouve dans parfumer.
Je dis *un parfum*, c'est un nom masculin.
MOTS DE LA FAMILLE : parfumer, une parfumerie

parler

COCO !!!

Ce perroquet sait parler !

Je peux dire *je parle, tu parles, il (elle) parle*, c'est un verbe.

passage

« On a trouvé un passage secret ! On va passer par là. »

Je dis *un passage*, c'est un nom masculin.

passager, passagère

Les passagers montent dans l'avion.

Je dis *un passager, une passagère*, c'est un nom masculin ou féminin.

pâte

• Adèle joue avec de la pâte à modeler.

• Maman fait cuire des pâtes.

J'écris *pâte* avec â.
Je dis *une pâte*, c'est un nom féminin.
Je ne confonds pas avec *la patte du chien*.

patin

Emma fait du patin à glace, elle patine très bien.

Je dis *le patin*, c'est un nom masculin.
MOTS DE LA FAMILLE : patiner, la patinoire

pâtisserie

On achète des gâteaux à la pâtisserie.

J'écris *pâtisserie* avec â, comme dans gâteau.
Je dis *la pâtisserie*, c'est un nom féminin.

patte

Zouzou donne la patte à Loïc.

Je dis *une patte*, c'est un nom féminin.
Je ne confonds pas avec *la pâte à modeler*.

A B C D E F G H I J K L M N O P Q R S T U V W X Y Z

payer

Papa paye à la caisse.

Je lis *payer* avec é-y
Je peux dire *je paye, tu payes, il (elle) paye,* c'est un verbe.

pays

Sur les cartes, on voit les pays et leurs frontières.
La France est un pays.

Je lis *pays,* avec les sons é-i.
Je dis *un pays,* c'est un nom masculin.

pe

peau

Marie a épluché la pomme, elle a enlevé sa peau.

Je dis *la peau,* c'est un nom féminin.
Au pluriel : *des peaux,* avec x.

pêche ①

La pêche est un fruit.
Elle pousse sur un arbre, le pêcher.

J'écris *pêche* avec ê.
Je dis *une pêche,* c'est un nom féminin.
MOT DE LA FAMILLE : le pêcher

pêche ②

Olivier aime la pêche. Il a pêché un gros poisson.

J'écris *pêche* avec ê.
Je dis *la pêche,* c'est un nom féminin.
MOTS DE LA FAMILLE : pêcher, un pêcheur

peindre

Basile peint un tableau, il fait de la peinture.

Je lis *peindre* avec le son in.
Je peux dire *je peins, tu peins, il (elle) peint,* c'est un verbe.
MOTS DE LA FAMILLE : la peinture, un peintre

pelle

Avec ma pelle, je peux ramasser du sable.

J'écris *pelle* avec ll.
Je dis *une pelle,* c'est un nom féminin.

pelote

Une pelote de laine.

J'écris *pelote* avec un seul l et un seul t.
Je dis *une pelote,* c'est un nom féminin.

pencher

Attention, la tour penche, elle va tomber !

Je peux dire *je penche, tu penches, il (elle) penche,* c'est un verbe.

perle

On joue avec des perles de toutes les couleurs.

Je dis *une perle,* c'est un nom féminin.

perroquet

Ce perroquet peut imiter ta voix.

J'écris *perroquet* avec rr.
Je dis *un perroquet,* c'est un nom masculin.

pétale

La rose perd ses pétales.

Je dis *un pétale,* c'est un nom masculin.

petit, petite

Hugo est petit. Papa est grand.

Je peux dire *il est petit, elle est petite,* c'est un adjectif.

CONTRAIRE : grand

peur

« C'est effrayant, j'ai peur ! – Qu'est-ce que tu es peureux ! »

Je dis *la peur,* c'est un nom féminin.

MOT DE LA FAMILLE : peureux, peureuse

ph

Le groupe ph se lit toujours avec le son f.

phare

• Les phares de la voiture éclairent la route.

• Le phare du port guide les bateaux.

Je dis *le phare,* c'est un nom masculin.

pharmacie

On achète les médicaments à la pharmacie.

Je dis *la pharmacie,* c'est un nom féminin.

MOTS DE LA FAMILLE : le pharmacien, la pharmacienne

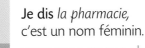

phoque

Les phoques vivent dans les régions très froides.

Je dis *un phoque,* c'est un nom masculin.

photo

« Personne ne bouge ! Je prends une photo ! »

Je dis *une photo,* c'est un nom féminin.
On dit aussi *une photographie.*

pi

piano

Léa joue du piano. C'est son instrument de musique préféré.

Je dis *un piano,* c'est un nom masculin.

pièce

Ce sont des pièces de monnaie.

Je dis *une pièce,* c'est un nom féminin.

pied

Anouk marche toujours pieds nus.

J'écris *pied* avec d.
Je dis *un pied,* c'est un nom masculin.

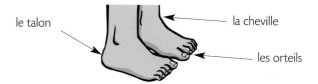

le talon — la cheville — les orteils

pierre

Alice est assise sur une grosse pierre.

Je dis *une pierre,* c'est un nom féminin.

pigeon

Les pigeons s'envolent dès qu'on approche.

J'écris *pigeon* avec ge.
Je dis *un pigeon,* c'est un nom masculin.

pin

Les pins sont de grands arbres toujours verts.

Je dis *un pin,* c'est un nom masculin.
Je ne confonds pas *le pin,* l'arbre, et *le pain* que je mange.

pince

On accroche le linge avec des pinces à linge.

Je dis *une pince,* c'est un nom féminin.

pinceau

Zoé peint avec un pinceau.

Je dis *un pinceau,* c'est un nom masculin.
Au pluriel : *des pinceaux,* avec x.

pingouin

Les pingouins sont des oiseaux. Ils vivent près des mers froides.

J'écris *pingouin* avec ouin.
Je dis *un pingouin,* c'est un nom masculin.

piquer

« Aïe ! Le moustique m'a piqué ! J'ai une belle piqûre ! »

Je peux dire *je pique, tu piques, il (elle) pique,* c'est un verbe.
MOT DE LA FAMILLE : une piqûre, avec û.

piscine

J'aime nager à la piscine ! Je vais même dans le grand bain.

Je lis *piscine* avec le son .
Je dis *une piscine,* c'est un nom féminin.

piste

Il fait du roller sur la piste.

Je dis *la piste,* c'est un nom féminin.

placard

Zoé a rangé ses affaires dans son placard.

J'écris *placard* avec d.
Je dis *un placard,* c'est un nom masculin.

place

Il ne reste qu'une place libre sur le parking.

Je dis *une place,* c'est un nom féminin.

plage

On est sur la plage, au bord de la mer.

Je dis *la plage,* c'est un nom féminin.

planche

Papa scie une planche.

Je dis *une planche,* c'est un nom féminin.

plante

Zoé arrose ses plantes vertes.

Je dis *une plante,* c'est un nom féminin.

plat, plate ①

En bas de la côte, le terrain est plat.

Je peux dire *il est plat, elle est plate,* c'est un adjectif.

plat ②

Luc verse les pâtes dans le grand plat.

Je dis *un plat,* c'est un nom masculin.

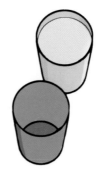

plein, pleine

Le verre jaune est plein, l'autre est vide.

Je peux dire *il est plein, elle est pleine,* c'est un adjectif.
CONTRAIRE : vide

pleurer

Zoé pleure. Des larmes coulent sur ses joues.

Je peux dire *je pleure, tu pleures, il (elle) pleure,* c'est un verbe.

plonger

Martin a plongé ! Il a sauté du plongeoir !
Quel beau plongeon !

Je peux dire *je plonge, tu plonges, il (elle) plonge,* c'est un verbe.
MOTS DE LA FAMILLE : le plongeoir, un plongeon, un plongeur

pluie

La pluie tombe, il pleut.

Je dis *la pluie,* c'est un nom féminin.
MOT DE LA FAMILLE : pleuvoir

plume

C'est une plume d'oiseau.

Je dis *une plume,* c'est un nom féminin.

pn

pneu

Papa change mon pneu.

Je dis *un pneu,* c'est un nom masculin.
Au pluriel : *des pneus,* avec s.

po

poche

Mes poches sont vides !

Je dis *une poche,* c'est un nom féminin.

poêle ①

Les œufs cuisent dans la poêle.

Je lis *poêle* avec le son (oi).
Je dis *la poêle,* c'est un nom féminin.

poêle ②

Le feu brûle dans le poêle.

Je lis *poêle* avec le son (oi).
Je dis *le poêle,* c'est un nom masculin.

poids

Le marchand met les poids sur la vieille balance.

Je dis *un poids,* c'est un nom masculin.
Je ne confonds pas *le poids* pour peser
et *les pois* à manger.

poignée

Zoé tourne la poignée de la porte.

J'écris *poignée* avec ée.
Je dis *la poignée,* c'est un nom féminin.

poignet

Léa porte un ruban rouge au poignet.

J'écris *poignet* avec et.
Je dis *le poignet,* c'est un nom masculin.

poing

On ferme le poing en repliant les doigts.

J'écris *poing* avec g, comme dans
poignée ou poignet.
Je dis *le poing,* c'est un nom masculin.

A B C D E F G H I J K L M N O P Q R S T U V W X Y Z

point

Zoé fait une ligne de petits points.

J'écris *point* avec t, comme dans pointe.
Je dis *un point,* c'est un nom masculin.

pointe

• La pointe de l'aiguille pique. Elle est pointue.

• Elle fait des pointes.

Je dis *la pointe,* c'est un nom féminin.
MOT DE LA FAMILLE : pointu, pointue

poire

La poire est un fruit.
Elle pousse sur un arbre, le poirier.

Je dis *la poire,* c'est un nom féminin.
MOT DE LA FAMILLE : le poirier

poireau

Le poireau est un légume vert.

Je dis un poireau, c'est un nom masculin.
Au pluriel : *des poireaux,* avec x.

pois

Voilà une assiette de petits pois.

Je dis *un pois,* c'est un nom masculin.

poisson

Voici un beau poisson rouge !

Je dis *un poisson,* c'est un nom masculin.
MOT DE LA FAMILLE : la poissonnerie

pomme

Zoé cueille une pomme sur le pommier.

Je dis *une pomme,* c'est un nom féminin.
MOT DE LA FAMILLE : le pommier

pompier

Les pompiers luttent contre le feu.

J'écris *pompier* avec un m devant le p.
Je dis *un pompier,* c'est un nom masculin.

pont

On traverse la rivière sur le pont.

Je dis *le pont,* c'est un nom masculin.

porte

Emma frappe à la porte.

Je dis *la porte,* c'est un nom féminin.

porter

Papa porte Marie dans ses bras.

Je peux dire *je porte, tu portes, il (elle) porte,* c'est un verbe.

position

Ils sont chacun dans une position différente.

Je dis *une position,* c'est un nom féminin.

debout

à genoux

assis

allongé

pot

Les pots de confiture sont en verre, les pots pour les plantes sont en terre.

Je dis *un pot,* c'est un nom masculin.

poule

La poule couve ses œufs dans le poulailler.

Je dis *une poule,* c'est un nom féminin.

MOT DE LA FAMILLE : le poulailler

poupée

C'est une jolie poupée.

J'écris *poupée* avec ée.
Je dis *une poupée,* c'est un nom féminin.

pousser

Marie pousse la poussette.
Hugo tire le chariot.

Je peux dire, *je pousse, tu pousses, il (elle) pousse,* c'est un verbe.

CONTRAIRE : tirer

printemps

Le printemps vient après l'hiver, c'est une saison.

Je dis *le printemps,* c'est un nom masculin.

A B C D E F G H I J K L M N O P Q R S T U V W X Y Z

prison

Il est en prison, prisonnier derrière ses barreaux.

Je dis *une prison,* c'est un nom féminin.
MOTS DE LA FAMILLE : le prisonnier, la prisonnière

prix

Le prix de ce jouet est sur l'étiquette.

J'écris *prix* avec x.
Je dis *le prix,* c'est un nom masculin.

profil

Sur la photo, je suis de profil, c'est-à-dire sur le côté.

Je dis *un profil,* c'est un nom masculin.
CONTRAIRES : de face, de dos

profond, profonde

Ici, la rivière n'est pas profonde ; on voit le fond.

Je peux dire *un fleuve profond, une rivière profonde,* c'est un adjectif.
MOT DE LA FAMILLE : la profondeur

propre

Zoé a les mains propres.

Je peux dire *des doigts propres, des mains propres,* c'est un adjectif.
MOT DE LA FAMILLE : la propreté
CONTRAIRE : sale

protéger

Basile protège sa tête et ses genoux quand il fait du roller.

Je peux dire *je protège, tu protèges, il (elle) protège,* c'est un verbe.

prudent, prudente

Je fais attention en traversant, je suis prudente.

Je peux dire *il est prudent, elle est prudente,* c'est un adjectif.
MOTS DE LA FAMILLE : la prudence, prudemment

puits

On tire l'eau du puits.

J'écris *puits* avec ts.
Je dis *un puits,* c'est un nom masculin.

pull

Victor enfile son pull.

Je dis *un pull,* c'est un nom masculin.

puzzle

Zoé a fini son puzzle.

Je lis *puzzle* avec le son e.
Je dis *un puzzle,* c'est un nom masculin.

py

pyjama

Martin a mis son beau pyjama pour aller dormir.

Je dis *un pyjama,* c'est un nom masculin.

pyramide

Une pyramide a quatre faces qui sont des triangles.

Je dis *une pyramide,* c'est un nom féminin.

Q q 2 q

La lettre q est toujours suivie de u, sauf quelquefois à la fin d'un mot : *cinq, coq.*

quai

On attend le train sur le quai de la gare.

Je dis *le quai,* c'est un nom masculin.

queue

Les vaches, les chats, les singes... ont une queue.

J'écris *queue* avec *ueue.*
Je dis *une queue,* c'est un nom féminin.

quille

Il faut faire tomber toutes les quilles !

Je dis *une quille,* c'est un nom féminin.

R r ℛ r

ra

racine

Les racines poussent dans la terre.

Je dis *une racine,* c'est un nom féminin.

raconter

Léa raconte une histoire.

Je peux dire *je raconte, tu racontes, il (elle) raconte,* c'est un verbe.

radis

Une botte de radis.

J'écris *radis* avec s.
Je dis *un radis,* c'est un nom masculin.

rail

Le train roule sur des rails.

Je dis *un rail,* c'est un nom masculin.

raisin

Le raisin pousse dans les vignes.

Je dis *le raisin,* c'est un nom masculin.

ramasser

Zoé ramasse des champignons.

Je peux dire *je ramasse, tu ramasses, il (elle) ramasse,* c'est un verbe.

rampe

Grand-père se tient à la rampe.

J'écris *rampe* avec un m devant le p.
Je dis *une rampe,* c'est un nom féminin.

ramper

Luc rampe sous la table.
Il avance sur le ventre.

Je peux dire *je rampe, tu rampes, il (elle) rampe,* c'est un verbe.

rang

Les enfants sont en rangs deux par deux.

J'écris *rang* avec g, comme dans ranger.
Je dis *un rang,* c'est un nom masculin.

ranger

Julie range ses affaires de classe.

Je peux dire *je range, tu ranges, il (elle) range,* c'est un verbe.
On écrit nous rang**e**ons, avec un e.

râpe

Avec la râpe, je râpe le fromage.

J'écris *râpe* avec â.
Je dis *une râpe,* c'est un nom féminin.
MOTS DE LA FAMILLE : râper, râpé.

rapide

Qui est le plus rapide ?
Qui va le plus vite ?

Je peux dire *il est rapide, elle est rapide,* c'est un adjectif.
CONTRAIRE : lent, lente

rapporter

Zouzou rapporte la balle à Léa.

J'écris *rapporter* avec pp.
Je peux dire *je rapporte, tu rapportes, il (elle) rapporte,* c'est un verbe.

raquette

Une raquette de tennis et une raquette de ping-pong.

Je dis *une raquette,* c'est un nom féminin.

râteau

Vladimir passe le râteau sur le sable.

J'écris *râteau* avec â.
Je dis *un râteau,* c'est un nom masculin.
Au pluriel : *des râteaux,* avec x.

rature

Il y a des ratures dans ta lettre.

Je dis *une rature,* c'est un nom féminin.

PANTHÈRE
CASTOR
KANGOUROU
~~TORTUE~~
CHIMPANZÉ
HYÈNE

rayer

Pierre a rayé un mot dans la liste.

Je peux dire *je raye, tu rayes, il (elle) raye,* c'est un verbe.

re

réciter

Pierre récite une fable. C'est une récitation.

Je peux dire *je récite, tu récites, il (elle) récite,* c'est un verbe.

MOT DE LA FAMILLE : une récitation

reculer

Le lion lui fait peur, il recule, il va en arrière.

Je peux dire *je recule, tu recules, il (elle) recule,* c'est un verbe.

CONTRAIRE : avancer

regarder

Le chien se regarde dans le miroir.

Je peux dire *je regarde, tu regardes, il (elle) regarde,* c'est un verbe.

règle

Avec une règle, on peut tracer un trait droit.

Je dis *une règle,* c'est un nom féminin.

reine

La reine et le roi saluent la foule.

J'écris *reine* avec ei.
Je dis *la reine,* c'est un nom féminin.

renard

Le renard a le museau pointu et une longue queue touffue.

J'écris *renard* avec d.
Je dis *un renard,* c'est un nom masculin.

renverser

Le chat a renversé mon bol ! Le chocolat s'est renversé.

Je peux dire *je renverse, tu renverses, il (elle) renverse,* c'est un verbe.

réparer

Le mécanicien répare la voiture.

Je peux dire *je répare, tu répares, il (elle) répare,* c'est un verbe.

MOT DE LA FAMILLE : une réparation

repas

Que manges-tu à chaque repas ?

Je dis *un repas*, c'est un nom masculin.

le petit déjeuner

le déjeuner

le dîner

repasser

Marie a une table à repasser avec un fer à repasser.

Je peux dire *je repasse, tu repasses, il (elle) repasse,* c'est un verbe.

requin

Certains requins sont très dangereux.

Je dis *un requin*, c'est un nom masculin.

ressembler

Les deux sœurs se ressemblent !

J'écris *ressembler* avec un m devant le b.
Je peux dire *je te ressemble, tu me ressembles, on se ressemble,* c'est un verbe.

rêve

Clara a fait un drôle de rêve : elle marchait sur la lune.

J'écris *rêve* avec ê.
Je dis *un rêve*, c'est un nom masculin.
MOT DE LA FAMILLE : rêver

rh

rhinocéros

Le rhinocéros a une peau très épaisse et une ou deux cornes sur le nez.

Je lis rhi|no|cé|ros en prononçant le s.
Je dis *un rhinocéros,* c'est un nom masculin.

rhume

AAATCHOUM !!!

Basile a un gros rhume. Il est très enrhumé !

Je dis *un rhume*, c'est un nom masculin.
MOT DE LA FAMILLE : s'enrhumer

ri

riche

« J'ai trouvé le trésor, je suis riche ! »

Je peux dire *il est riche, elle est riche,* c'est un adjectif.

MOT DE LA FAMILLE : la richesse
CONTRAIRE : pauvre

rideau

Maman ouvre les rideaux. C'est l'heure de se lever.

Je dis *un rideau,* c'est un nom masculin.
Au pluriel : *des rideaux,* avec x.

rire

Le clown est drôle. Il fait rire les enfants.

Je peux dire *je ris, tu ris, il (elle) rit,* c'est un verbe.

rivière

On peut se baigner dans la rivière.

Je dis *la rivière,* c'est un nom féminin.

riz

Le riz pousse dans les rizières. On mange les grains de riz.

J'écris *riz* avec z.
Je dis *le riz,* c'est un nom masculin.

ro

robe

Marie a une robe bleue.

Je dis *une robe,* c'est un nom féminin.

robinet

L'eau coule du robinet.

Je dis *un robinet,* c'est un nom masculin.

robot

Mon robot s'appelle XXZYF !

Je dis *un robot,* c'est un nom masculin.

rocher

On voit les rochers à marée basse.

Je dis *un rocher,* c'est un nom masculin.

roi

Le roi dirige le royaume.

Je dis *un roi,* c'est un nom masculin.
MOT DE LA FAMILLE : le royaume

rond ①

Zoé dessine un rond.

J'écris *rond* avec d.
Je dis *un rond,* c'est un nom masculin.

rond, ronde ②

Le ballon est rond.
La Terre est ronde.

Je peux dire *il est rond, elle est ronde,* c'est un adjectif.

ronfler

Il dort et il ronfle.

Je peux dire *je ronfle, tu ronfles, il (elle) ronfle,* c'est un verbe.
MOT DE LA FAMILLE : le ronflement

RRRRRR !!!

ronronner

Le chat ronronne.

Je peux dire *il (elle) ronronne,* c'est un verbe.

rose ①

La rose est une fleur. Il en existe de toutes les couleurs.

Je dis *la rose,* c'est un nom féminin.

rose ②

Julie a un pull rose et une jupe rose.

Je peux dire *un tissu rose, une couleur rose,* c'est un adjectif.

roue

Une roue de vélo.

Je dis *une roue,* c'est un nom féminin.

rouge ①

Luc prend un crayon rouge.

Je peux dire *un crayon rouge, une couleur rouge,* c'est un adjectif.

rouge ②

Emma se met du rouge à lèvres rose.

Je dis *le rouge à lèvres,* c'est un nom masculin.

route

Une voiture roule sur la route.

Je dis *la route,* c'est un nom féminin.

roux, rousse

Alain est roux et sa sœur est rousse, elle aussi.

J'écris *roux* avec x.
Je peux dire *il est roux, elle est rousse,* c'est un adjectif.

ru

ruban

Ma poupée a un ruban rouge dans ses cheveux.

Je dis *un ruban,* c'est un nom masculin.

rue

J'habite au 23, rue des Lilas.

Je dis *une rue,* c'est un nom féminin.

ruisseau

Zouzou boit l'eau du ruisseau.

Je dis *un ruisseau,* c'est un nom masculin.
Au pluriel : *des ruisseaux,* avec x.

sa

sable

Vladimir a fait un pâté avec du sable.

Je dis *le sable,* c'est un nom masculin.

sac

« Quel beau sac à dos ! »

Je dis *un sac,* c'est un nom masculin.

saison

Il y a quatre saisons dans l'année.

Je dis *une saison,* c'est un nom féminin.

l'automne

l'hiver

le printemps

l'été

salade

La tortue aime la salade.

Je dis *la salade,* c'est un nom féminin.

sale

Zoé a les mains sales.

J'écris *sale* avec un seul l.
Je peux dire *des doigts sales, des mains sales,* c'est un adjectif.
MOTS DE LA FAMILLE : la saleté, salir
CONTRAIRE : propre

salle

Il y a une baignoire dans la salle de bains.

J'écris *salle* avec ll.
Je dis *une salle,* c'est un nom féminin.

salon

Dans le salon, il y a une table basse, un canapé et des fauteuils.

Je dis *le salon,* c'est un nom masculin.

sandwich

C'est un sandwich aux crudités.

Je dis *un sandwich,* c'est un nom masculin.

sapin

Le sapin est un arbre toujours vert.

Je dis *un sapin,* c'est un nom masculin.

sauter

Luc saute par-dessus le ruisseau.

Je peux dire *je saute, tu sautes, il (elle) saute,* c'est un verbe.

savon

Il se lave les mains avec du savon.

Je dis *le savon,* c'est un nom masculin.
MOTS DE LA FAMILLE : savonner, une savonnette

SC

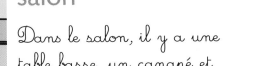

Le groupe sc se prononce [s] comme dans *scie,* ou [sk] comme dans *sculpture* ou *escalier.*

scie

Le menuisier prend sa scie pour scier la planche.

Je dis *une scie,* c'est un nom féminin.
MOT DE LA FAMILLE : scier

137

A B C D E F G H I J K L M N O P Q R S T U V W X Y Z

scintiller

La nuit, les étoiles scintillent, elles brillent avec des éclats.

Je peux dire *les étoiles scintillent, scintillaient* ou *scintilleront,* c'est un verbe.

sculpture

Zoé fait de la sculpture sur bois, elle sculpte le bois.

Je lis *scul(p)ture,* sans prononcer le p.
Je dis *la sculpture,* c'est un nom féminin.
MOT DE LA FAMILLE : sculpter

se

seau

Emma porte deux grands seaux d'eau.

Je dis *un seau,* c'est un nom masculin.
Au pluriel : *des seaux,* avec x.

sec, sèche

Le pantalon est sec et la chemise est sèche.

Je peux dire *il est sec, elle est sèche,* c'est un adjectif.
MOTS DE LA FAMILLE : sécher, un séchoir
CONTRAIRE : mouillé, mouillée

| Lundi |
| Mardi |
| Mercredi |
| Jeudi |
| Vendredi |
| Samedi |
| Dimanche |

semaine

Il y a sept jours dans la semaine.

Je dis *une semaine,* c'est un nom féminin.

sensation

Ils aiment les sensations fortes !

Je dis *une sensation,* c'est un nom féminin.

la peur

le froid   la chaleur   la faim   la soif

serpent

C'est un serpent dangereux.

Je dis *un serpent,* c'est un nom masculin.

serrer

« Aïe, tu me serres trop fort ! »

Je peux dire *je serre, tu serres, il (elle) serre,* c'est un verbe.
Il ne faut pas confondre avec *je sers,* du verbe *servir.*

138

serrure

On tourne la clé dans la serrure pour ouvrir et fermer la porte.

Je dis *une serrure,* c'est un nom féminin.

servir

Maman me sert un verre de lait.

Je peux dire *je sers, tu sers, il (elle) sert,* c'est un verbe.
Il ne faut pas confondre avec *je serre,* du verbe *serrer.*

si

siffler

L'arbitre siffle avec son sifflet.

J'écris *siffler* avec ff.
Je peux dire *je siffle, tu siffles, il (elle) siffle,* c'est un verbe.
MOT DE LA FAMILLE : un sifflet

signer

Luc signe sa lettre. Il met sa signature.

Je peux dire *je signe, tu signes, il signe,* c'est un verbe.
MOT DE LA FAMILLE : une signature

singe

Le singe joue dans l'arbre.

Je dis *un singe,* c'est un nom masculin.

sirène

On raconte que les sirènes vivent au fond des mers. Elles ont une queue de poisson à la place des jambes.

Je dis *une sirène,* c'est un nom féminin.

sirop

Zoé prend du sirop pour sa gorge.

J'écris *sirop* avec p.
Je dis *un sirop,* c'est un nom masculin.

sk

ski

Clara fait du ski.

Je dis *le ski,* c'est un nom masculin.
MOTS DE LA FAMILLE : skier, un skieur, une skieuse

A B C D E F G H I J K L M N O P Q R S T U V W X Y Z

SO

soif

Anouk a soif ! Elle voudrait boire.

Je dis *la soif*, c'est un nom féminin.

soleil

Le soleil brille !

J'écris *soleil* avec eil.
Je dis *le soleil*, c'est un nom masculin.

sombre

« Allume la lumière, il fait sombre ! »

J'écris *sombre* avec un m devant le b.
CONTRAIRE : clair

sommeil

Victor a sommeil. Il va s'endormir.

J'écris *sommeil* avec eil.
Je dis *le sommeil*, c'est un nom masculin.

sonnette

Luc appuie sur la sonnette.

Je dis *la sonnette*, c'est un nom féminin.
MOT DE LA FAMILLE : sonner

sorcière

On raconte que les sorcières chevauchent des balais !

Je dis *une sorcière*, c'est un nom féminin.

souffler

Emma souffle ses bougies.

J'écris *souffler* avec ff.
Je peux dire *je souffle, tu souffles, il (elle) souffle*, c'est un verbe.

soupe

La soupe fume dans la soupière.

Je dis *la soupe*, c'est un nom féminin.

sourire

Tout le monde sourit pour la photo !

Je peux dire *je souris, tu souris, il (elle) sourit*, c'est un verbe.
MOT DE LA FAMILLE : un sourire

souris

Il ne faut pas avoir peur des souris. C'est tout petit !

J'écris *souris* avec s.
Je dis *une souris,* c'est un nom féminin.

sous-marin

Le sous-marin commence à faire surface.

J'écris *sous-marin* en deux mots avec un trait d'union.
Je dis un *sous-marin,* c'est un nom masculin.

souterrain

Un souterrain mène du château à la mer !

J'écris *souterrain* en un seul mot et avec rr comme dans terre.
Je dis un souterrain, c'est un nom masculin.

sp

spectacle

C'est le spectacle de fin d'année.

Je lis spec|ta|cle.
Je dis un *spectacle,* c'est un nom masculin.
MOT DE LA FAMILLE : les spectateurs

sport

Quel est ton sport préféré ?

Je dis *le sport,* c'est un nom masculin.
MOTS DE LA FAMILLE : un sportif, une sportive

le judo

le tennis

le football

la natation

sq

square

Les enfants jouent au square.

Je lis *square* avec koi .
J'écris *square* avec un seul r.
Je dis un *square,* c'est un nom masculin.

squelette

Un squelette de dinosaure.

Je dis un *squelette,* c'est un nom masculin.

st

stade

Les athlètes courent sur le stade.

Je dis *le stade,* c'est un nom masculin.

141

A B C D E F G H I J K L M N O P Q R S T U V W X Y Z

statue

Zoé a sculpté une statue de la petite sirène.

Je dis *la statue,* c'est un nom féminin.

stylo

Papa écrit avec un stylo à plume.

Je dis *un stylo,* c'est un nom masculin.

su

sucette

Laquelle de ces sucettes choisis-tu ?

Je dis *une sucette,* c'est un nom féminin.

sucre

Il y a des morceaux de sucre dans le sucrier.

Je dis *le sucre,* c'est un nom masculin.

MOTS DE LA FAMILLE : sucré, un sucrier

supermarché

Au supermarché, on peut acheter de tout dans les différents rayons.

Je dis *un supermarché,* c'est un nom masculin.

surprise

C'est une surprise ! On ne sait pas ce qu'il y a dedans.

Je dis *une surprise,* c'est un nom féminin.

T t 𝒯 𝓉

table

C'est une table en bois.

Je dis *la table,* c'est un nom féminin.

tableau

Luc va écrire au tableau.

Je dis *un tableau,* c'est un nom masculin.
Au pluriel : *des tableaux,* avec x.

tailler

On taille ses crayons avec un taille-crayon.

Je peux dire *je taille, tu tailles, il (elle) taille,* c'est un verbe.

MOT DE LA FAMILLE : un taille-crayon

taire

« Chut ! Tais-toi ! »

Je peux dire *je me tais, tu te tais, il (elle) se tait,* c'est un verbe.

talon

« J'ai une épine dans le talon ! »

Je dis *le talon,* c'est un nom masculin.

tambour

Olivier joue du tambour.

J'écris *tambour* avec un m devant le b.
Je dis *un tambour,* c'est un nom masculin.

tampon

Zoé joue avec ses tampons.

J'écris *tampon* avec un m devant le p.
Je dis *un tampon,* c'est un nom masculin.

tapis

« Je vole sur mon tapis volant ! »

J'écris *tapis* avec s.
Je dis *un tapis,* c'est un nom masculin.

tarte

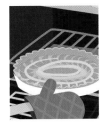

La tarte aux pommes sort du four.

Je dis *une tarte,* c'est un nom féminin.

A B C D E F G H I J K L M N O P Q R S T U V W X Y Z

tasse

Une tasse et sa soucoupe.

Je dis *une tasse,* c'est un nom féminin.

te

téléphone

Adèle parle au téléphone.

J'écris *téléphone* avec ph.
Je dis *un téléphone,* c'est un nom masculin.

télévision

Nous regardons la télévision.

Je dis *la télévision,* c'est un nom féminin.

température

« Brrr ! Il fait froid !
La température est basse ! »

J'écris *température* avec un m devant le p.
Je dis *la température,* c'est un nom féminin.

temps

• L'horloge mesure le temps qui passe.

temps pluvieux

• La météo dit le temps qu'il fait.

J'écris *temps* avec un m devant le p, et un s à la fin.
Je dis *le temps,* c'est un nom masculin.

temps neigeux

temps ensoleillé

temps nuageux

temps venté

tennis

Luc joue au tennis.

Je dis *le tennis,* c'est un nom masculin.

tente

Il a monté la tente.

J'écris *tente* avec e.
Je dis *une tente,* c'est un nom féminin.
Je ne confonds pas avec *ma tante,* la sœur de mon papa ou de ma maman.

terre

• La Terre, c'est notre planète.

• Zoé met de la terre dans le pot.

Je dis *la terre,* c'est un nom féminin.

tête

Zoé a fait une tête en modelage.

J'écris *tête* avec ê.
Je dis *une tête,* c'est un nom féminin.

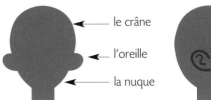

le crâne
l'oreille
la nuque

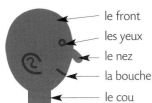

le front
les yeux
le nez
la bouche
le cou

th

thé

Loïc boit du thé le matin.

Je dis *le thé,* c'est un nom masculin.
MOT DE LA FAMILLE : la théière

théâtre

Nous sommes au théâtre.
Les comédiens sont sur la scène.

J'écris *théâtre* avec â.
Je dis *un théâtre,* c'est un nom masculin.

ti

tigre

Le tigre est un animal dangereux.

Je dis *un tigre,* c'est un nom masculin.

timbre

MONSIEUR ALEXIS
1 AVENUE DU BOIS
10010 COYE LE BOIS

Léa colle un timbre sur l'enveloppe.

J'écris *timbre* avec un m devant le b.
Je dis *un timbre,* c'est un nom masculin.

tirelire

Zoé met une pièce dans sa tirelire.

Je dis *une tirelire,* c'est un nom féminin.

tirer

Hugo tire le chariot.
Marie pousse la poussette.

Je peux dire *je tire, tu tires, il (elle) tire,* c'est un verbe.
CONTRAIRE : pousser

A B C D E F G H I J K L M N O P Q R S T U V W X Y Z

to

toboggan

C'est drôle de glisser sur le toboggan !

J'écris *toboggan* avec gg.
Je dis *un toboggan,* c'est un nom masculin.

toit

Le chat est sur le toit à côté de la cheminée.

J'écris *toit* avec un t, comme dans toiture.
Je dis *le toit,* c'est un nom masculin.

tomate

Les tomates mûres sont bien rouges.

Je dis *une tomate,* c'est un nom féminin.

tomber

Marie l'a poussé et il est tombé !

J'écris *tomber* avec un m devant le b.
Je peux dire *je tombe, tu tombes, il (elle) tombe,* c'est un verbe.

tonnerre

BRRRRRR!!!

On entend le tonnerre. L'orage va éclater.

Je dis *le tonnerre,* c'est un nom masculin.

tordre

Léa tord le linge pour qu'il sèche plus vite.

Je peux dire *je tords, tu tords, il (elle) tord,* c'est un verbe.

torrent

Le torrent descend de la montagne.

J'écris *torrent* avec rr.
Je dis *un torrent,* c'est un nom masculin.

tortue

La tortue a une carapace.

Je dis *une tortue,* c'est un nom féminin.

toupie

La toupie tourne sur elle-même.

Je dis *une toupie,* c'est un nom féminin.

tour ①

Olivier construit la tour du château.

Je dis *une tour*, c'est un nom féminin.

tour ②

Zouzou a fait le tour de la maison.

Je dis *le tour*, c'est un nom masculin.

tournevis

Luc a un tournevis et des vis sur son établi.

Je dis *un tournevis*, c'est un nom masculin.

tr

trace

Ce sont des traces de doigts sur le mur.

Je dis *une trace*, c'est un nom féminin.

tracteur

Il conduit un tracteur.

Je dis *un tracteur*, c'est un nom masculin.

train

Le train roule sur des rails à travers la campagne.

Je dis *un train*, c'est un nom masculin.

trampoline

Léa fait du trampoline.

J'écris *trampoline* avec am devant le p. **Je dis** *un trampoline*, c'est un nom masculin.

tramway

Le tramway roule sur des rails en ville.

Je lis tram|way avec we. **Je dis** *le tramway*, c'est un nom masculin.

travailler

Ici les gens travaillent. Ils font leur travail.

Je peux dire *je travaille, tu travailles, il (elle) travaille*, c'est un verbe.

MOT DE LA FAMILLE : le travail

tremplin

Il prend son élan, il va sauter du tremplin !

J'écris *tremplin* avec em devant le p.
Je dis *un tremplin,* c'est un nom masculin.

trésor

Le pirate a découvert un trésor !

Je dis *un trésor,* c'est un nom masculin.

trompette

Basile joue de la trompette.

J'écris *trompette* avec un m devant le p.
Je dis *une trompette,* c'est un nom féminin.

trou

« Il y a un trou. Mon pull est troué ! »

Je dis *un trou,* c'est un nom masculin.
MOT DE LA FAMILLE : trouer

trousse

Mes crayons sont dans ma trousse.

Je dis *une trousse,* c'est un nom féminin.

tulipe

La tulipe est ma fleur préférée.

Je dis *une tulipe,* c'est un nom féminin.

tuyau

Max arrose la pelouse avec le tuyau d'arrosage.

Je lis comme s'il y avait deux i : tui|iau.
Je dis *un tuyau,* c'est un nom masculin.
Au pluriel : *des tuyaux,* avec x.

U u Uu

un

uniforme

Les policiers, les hôtesses de l'air, les infirmières portent un uniforme.

Je dis *un uniforme,* c'est un nom masculin.

us

usine

On fabrique des voitures dans cette usine.

Je dis *une usine,* c'est un nom féminin.

ustensile

La louche, l'écumoire et le fouet sont des ustensiles de cuisine.

Je dis *un ustensile,* c'est un nom masculin.

V v Vv

va

vacances

Ils partent en vacances. Bonnes vacances !

Je dis *de bonnes vacances,* c'est un nom féminin pluriel.

vache

La vache et le petit veau.

Je dis *une vache,* c'est un nom féminin.

vague

Oh ! La vague est énorme ! Martin fait du surf sur les vagues.

Je dis *la vague,* c'est un nom féminin.

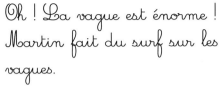

vaisselle

Basile range la vaisselle.

Je dis *la vaisselle,* c'est un nom féminin.

une tasse

une assiette

un verre   un bol   un saladier

valise

Julie emporte ses affaires dans sa valise.

Je dis *une valise,* c'est un nom féminin.

vase ①

Il y a de la vase au fond de la rivière. C'est comme de la boue gluante.

Je dis *la vase,* c'est un nom féminin.

vase ②

Anouk apporte un vase pour mettre ses fleurs.

Je dis *le vase,* c'est un nom masculin.

vélo

Olivier a un vélo tout neuf !

Je dis *un vélo,* c'est un nom masculin.
On dit aussi *une bicyclette.*

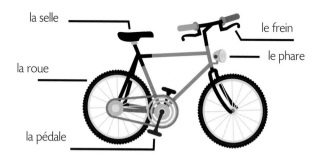

la selle

le frein

la roue

le phare

la pédale

vendre

Luc vend des jouets en bois.

Je peux dire *je vends, tu vends, il (elle) vend,* c'est un verbe.

MOTS DE LA FAMILLE : un vendeur, une vendeuse

vent

Le vent souffle fort !

Je dis *le vent,* c'est un nom masculin.

ventre

Max a le ventre à l'air !

Je dis *le ventre,* c'est un nom masculin.

ver

« Il y a un ver dans la pomme ! »

Je dis *un ver,* c'est un nom masculin.

verre

Un verre de jus d'orange.

Je dis *un verre,* c'est un nom masculin.

vert, verte

Luc a un pull vert.

Je peux dire *un pull vert, une chemise verte,* c'est un adjectif.

vêtement

un T-shirt

une jupe

Zoé a beaucoup de vêtements pour sa poupée.

J'écris *vêtement* avec ê.
Je dis *un vêtement,* c'est un nom masculin.

des chaussettes

une ceinture

un pull

un manteau

une robe

un pantalon

vide

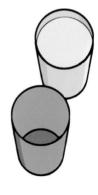

Le verre vert est vide, le verre jaune est plein.

Je peux dire *il est vide, elle est vide,* c'est un adjectif.

MOT DE LA FAMILLE : vider
CONTRAIRE : plein

vieux, vieille

Ils sont très vieux !

Je peux dire *un vieux monsieur, une vieille dame,* c'est un adjectif.

MOT DE LA FAMILLE : vieillir

village

Notre village est bien plus petit qu'une ville.

Je dis *un village,* c'est un nom masculin.

ville

Dans les grandes villes, il y a des immeubles et beaucoup d'habitants.

Je dis *une ville,* c'est un nom féminin.

A B C D E F G H I J K L M N O P Q R S T U V W X Y Z

violon

Emma joue du violon.

Je dis *un violon,* c'est un nom masculin.

visage

Ma poupée a un joli visage.

Je dis *un visage,* c'est un nom masculin.

les yeux — le crâne — les sourcils — le nez — une oreille — la bouche — la joue

vitrine

On regarde les vitrines de Noël.

Je dis *une vitrine,* c'est un nom féminin.

VO

vœu

« Fais trois vœux. Pense à ce que tu souhaites le plus. »

J'écris *vœu* avec œu.
Je dis *un vœu,* c'est un nom masculin.
Au pluriel : *des vœux,* avec x.

voile ①

La mariée porte un voile.

Je dis *le voile,* c'est un nom masculin.

voile ②

Les voiles du bateau.

Je dis *la voile,* c'est un nom féminin.

voiture

Papa veut acheter une voiture neuve.

Je dis *une voiture,* c'est un nom féminin.

volcan

Le volcan crache de la lave et des pierres.

Je dis *un volcan,* c'est un nom masculin.

voler

• *L'oiseau vole dans le ciel.*

MOT DE LA FAMILLE : s'envoler

AU VOLEUR !

• *« Il m'a volé mon sac ! »*

MOTS DE LA FAMILLE : le vol, le voleur, la voleuse

Je peux dire *je vole, tu voles, il (elle) vole,* c'est un verbe.

152

voyage

Olivier part en voyage.

Je lis comme s'il y avait deux i : voi|iage.
Je dis *un voyage,* c'est un nom masculin.
MOTS DE LA FAMILLE : voyager,
un voyageur, une voyageuse

vu

vue

*Adèle voit toutes les lettres,
elle a une bonne vue.*

Je dis *la vue,* c'est un nom féminin.

 Le w se prononce $\boxed{v}$ comme dans *wagon*
ou $\boxed{w}$ comme dans *tramway.*

wagon

Les wagons de marchandises.

Je lis *wagon,* avec le son $\boxed{v}$.
Je dis *un wagon,* c'est un nom masculin.

wapiti

*Le wapiti est un grand cerf
d'Amérique du Nord.*

Je lis *wapiti* avec le son $\boxed{w}$.
Je dis *un wapiti,* c'est un nom masculin.

Le x se prononce gz comme dans *examen* ou ks comme dans *taxi*.

xylophone

Emma a un petit xylophone pour faire de la musique.

Je lis *xylophone* avec ks .
Je dis *un xylophone*, c'est un nom masculin.

Le y se prononce i comme dans *cygne* ou y comme dans *yaourt*.

yaourt

C'est un yaourt aux fruits.

Je dis *un yaourt*, c'est un nom masculin.

yeux

À qui sont ces grands yeux ?

Je dis *des yeux*, c'est un nom masculin pluriel.
C'est le pluriel d'*œil* : *un œil, des yeux*.

yo-yo

Luc joue avec son yo-yo.

J'écris *yo-yo* en deux mots avec un trait d'union.
Je dis *un yo-yo*, c'est un nom masculin.

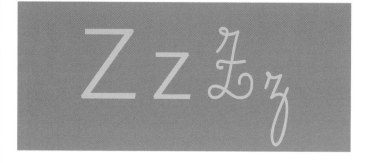

zèbre

Le zèbre a de grandes rayures sur le corps.

Je dis *le zèbre*, c'est un nom masculin.

zoo

Au zoo, on peut voir beaucoup d'animaux.

Je dis *un zoo*, c'est un nom masculin.

La grammaire

Le nom propre et le nom commun

★ Les prénoms, les noms de famille, les noms de villes, les noms de pays, etc., sont des noms propres.
On les appelle comme cela parce qu'ils sont propres à une personne, une ville, un pays, etc.

★ On met une majuscule à la première lettre des noms propres.

★ Tous les autres noms qui disent ce qu'est une personne, une chose, un animal, une plante, etc., sont des noms communs.
On les appelle comme cela parce qu'ils sont communs à des personnes, des choses, des animaux, des plantes, etc.

★ On peut dire un ou une, le, la ou l' devant un nom commun.

Le nom propre

Le nom commun

Simon est un garçon.
Justine est une fille.

C'est une fleur,
c'est un coquelicot.

158

La leçon

Une ★ pour chaque notion

Les exemples illustrés, en images ou en bandes dessinées.

Le nom propre et le nom commun

★ Les prénoms, les noms de famille, les noms de villes, les noms de pays, etc., sont des noms propres.
On les appelle comme cela parce qu'ils sont propres à une personne, une ville, un pays, etc.

★ On met une majuscule à la première lettre des noms propres.

Le nom propre

Comment t'appelles-tu ?

Je m'appelle Simon.

Simon comment ?

Simon Leblanc. Et toi ?

Moi, je m'appelle Justine Durand.

Où habitez-vous ?

Moi, à Paris.

Et moi à Lille.

★ Tous les autres noms qui disent ce qu'est une personne, une chose, un animal, une plante, etc., sont des noms communs.
On les appelle comme cela parce qu'ils sont communs à des personnes, des choses, des animaux, des plantes, etc.

★ On peut dire un ou une, le, la ou l' devant un nom commun.

Le nom commun

Simon est un garçon.
Justine est une fille.

C'est une fleur,
c'est un coquelicot.

Le genre du nom : masculin ou féminin

La plupart des noms sont soit masculins, soit féminins.

★ Quand on peut dire le ou un, c'est un nom masculin.
Quand on peut dire la ou une, c'est un nom féminin.

★ Quand on peut remplacer le nom par il, c'est un nom masculin.
Quand on peut remplacer le nom par elle, c'est un nom féminin.

Certains noms sont masculins ou féminins selon qu'il s'agit d'un garçon ou d'une fille : un ou une élève.

★ En général, on ajoute un e au masculin pour former le féminin.

★ Mais toute la terminaison du mot peut changer :
un chanteur, une chanteuse
un instituteur, une institutrice
un maître, une maîtresse.

le soleil
MASCULIN

la lune
FÉMININ

la tulipe
FÉMININ

le tournesol
MASCULIN

C'est un garçon, MASCULIN
il s'appelle Simon.

C'est une fille, FÉMININ
elle s'appelle Justine.

un marchand
et une marchande

le chanteur
et la chanteuse

159

★ Quand on dit le ou la, un ou une, le nom est au singulier. Il désigne une seule personne, un seul animal ou une seule chose.

★ Quand on dit les ou des, le nom est au pluriel. Il désigne plusieurs personnes, plusieurs animaux ou plusieurs choses.

★ Pour marquer le pluriel d'un nom, on ajoute en général un s à la fin du mot.

★ Les noms terminés par s, z ou x au singulier ne changent pas au pluriel.

★ Certains noms ont un pluriel irrégulier, avec x ou aux :
un cheveu, des cheveux
un journal, des journaux.

la sorcière

un poisson

le vélo

une fée

les sorcières

des poissons

les vélos

des fées

une souris

des souris

une croix

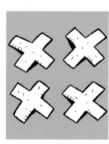
des croix

un nez

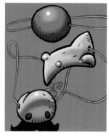
des nez

un journal

des journaux

160

L'adjectif

★ Les mots comme *rouge, petit, affreux, poilu*... permettent de décrire la chose, la personne, l'animal que le nom désigne. Ce sont des adjectifs qualificatifs.

une balle rouge | un petit singe | un monstre affreux | un chien poilu

★ L'adjectif s'accorde en genre (masculin ou féminin) et en nombre (singulier ou pluriel) avec le nom auquel il se rapporte. En général, on ajoute un e au masculin pour former le féminin des adjectifs ; et on ajoute un s au singulier pour former le pluriel.

un cartable bleu | une fleur bleue | des cartables bleus | des fleurs bleues
MASCULIN SINGULIER | FÉMININ SINGULIER | MASCULIN PLURIEL | FÉMININ PLURIEL

★ Avec plusieurs noms au masculin, l'adjectif est au masculin pluriel.

★ Avec plusieurs noms au féminin, l'adjectif est au féminin pluriel.

★ Avec des noms masculins et féminins, l'adjectif est au masculin pluriel.

un manteau et
MASCULIN
un pantalon verts
MASCULIN   MASCULIN PLURIEL

une chaussette et
FÉMININ
une écharpe vertes
FÉMININ   FÉMININ PLURIEL

une veste et
FÉMININ
un chapeau verts
MASCULIN   MASCULIN PLURIEL

161

Le déterminant. Le groupe nominal

★ Les petits mots comme *le, la, les, un, une, des, ce, cette, ces, mon, ma, mes...* qui accompagnent le nom commun s'appellent des déterminants.

★ Les articles *le, la, les,* et *un, une, des* sont les déterminants les plus utilisés.

★ Devant une voyelle, *l'* peut remplacer *le* ou *la* : *l'ours, l'abeille.*

★ On appelle groupe du nom ou groupe nominal, un groupe de mots constitué d'un nom et de son déterminant. L'adjectif peut faire partie du groupe du nom.

Le déterminant

Le groupe nominal (GN)

la poule
DÉTERMINANT   NOM

le petit poisson rouge
DÉTERMINANT   ADJECTIF   NOM   ADJECTIF

162

Le verbe et son sujet

★ Les mots *court, boit, roule* sont des formes des verbes *courir, boire, rouler*.
Le verbe permet de dire ce qui se passe.

★ On peut dire je, tu, il, elle, nous, vous, ils, elles, devant un verbe.

★ Le sujet dit de qui ou de quoi on parle.
On trouve le sujet en posant la question *Qui est-ce qui ?* ou *Qu'est-ce qui ?*
Le sujet peut être un nom, un pronom ou un groupe nominal (GN).

★ Le verbe s'accorde toujours avec son sujet.
Avec un sujet au singulier, le verbe est au singulier.
Avec un sujet au pluriel, le verbe est au pluriel.
Avec plusieurs sujets, le verbe est au pluriel.

Le verbe

Qu'est-ce qu'ils font ?

Marine court.
SUJET   VERBE

Poussy boit son lait.
SUJET   VERBE

La voiture roule.
SUJET   VERBE

Le sujet

Qui est-ce qui nage ?

Qu'est-ce qui brille ?

Zoé nage. Elle nage.
NOM   PRONOM

La petite fille nage.
GN

Le soleil brille.
GN

Zoé saute à la corde.
SING. SING.

Les petites filles sautent à la corde.
PLURIEL   PLURIEL

Zoé et Léa sautent à la corde.
SING. SING.   PLURIEL

Le pronom personnel sujet

★ Le pronom remplace un nom ou représente une personne.

je : la personne qui parle.

tu : la personne à qui on parle.

il, elle : la personne ou la chose dont on parle.

Je m'appelle Zoé.
Tu t'appelles Léa.

Le gâteau est salé.
Il n'est pas bon.

★ On emploie il pour remplacer un nom masculin.

★ On emploie elle pour remplacer un nom féminin.

Le chien donne la patte.
Il donne la patte.

La sorcière jette un sort.
Elle jette un sort.

★ Les pronoms personnels sujets

– au singulier :

   je chante

   tu chantes

   il/elle chante

– au pluriel :

   nous chantons

   vous chantez

   ils/elles chantent

La phrase

Une phrase est un ensemble de mots qui a un sens.

★ On met une majuscule à la première lettre et un point à la fin de la phrase.

★ Une phrase peut être courte. Une phrase peut être longue, avec des virgules.

Il y a plusieurs types de phrases.
★ Luc dit simplement quelque chose, il fait une phrase déclarative, avec un point final.

★ Arthur pose une question, il fait une phrase interrogative, avec un point d'interrogation (?).

★ Arthur est joyeux. Le petit chat est énervé. Tous les deux font une phrase exclamative avec un point d'exclamation (!).

★ La maîtresse donne un ordre. Elle fait une phrase impérative.

Le chat dort.

Arthur, qui a très faim, mange une salade, de la viande, des légumes, un yaourt et un dessert.

Je m'ennuie tout seul.

PHRASE DÉCLARATIVE

Tu viens jouer avec moi ?

PHRASE INTERROGATIVE

Qu'est-ce que je suis content !

Quel bruit !

Mais taisez-vous !

PHRASES EXCLAMATIVES

PHRASE IMPÉRATIVE

La phrase affirmative et la phrase négative

★ Luc dit oui, il fait une phrase affirmative.

★ Léa dit non, elle fait une phrase négative.

PHRASE AFFIRMATIVE   PHRASE NÉGATIVE

★ Pour dire non, on emploie le plus souvent ne... pas.

Il existe aussi d'autres mots de négation : ne... plus ; ne... jamais ; personne ne.

★ Quand on parle, on oublie souvent de dire le ne, mais quand on écrit, il ne faut pas l'oublier.

Les groupes dans la phrase

Qui fait quoi ? où ? quand ?
On peut séparer une phrase en plusieurs groupes.
Chaque groupe répond à l'une de ces questions.

Les enfants / mangent un gâteau / dans la cuisine / à cinq heures.

GROUPE SUJET · GROUPE VERBAL · COMPLÉMENT DE LIEU · COMPLÉMENT DE TEMPS

★ Le groupe sujet dit de qui ou de quoi on parle :
c'est le kangourou qui saute.

★ Le groupe du verbe est un groupe de mots qui comporte un verbe ou un verbe et un complément.

Le kangourou / saute.

GROUPE SUJET

Le petit chat / boit son lait.

VERBE + COMPLÉMENT

★ On trouve aussi dans la phrase des groupes de mots qui indiquent où et quand a lieu l'action.
Ce sont les compléments de lieu et de temps.

Le zèbre court / dans la savane.

COMPLÉMENT DE LIEU

Je prends le train / à cinq heures.

COMPLÉMENT DE TEMPS

167

La conjugaison

Les principaux temps utilisés

Des petits mots simples pour mieux comprendre la conjugaison

chanter

INDICATIF

	Présent			Imparfait			Futur	
	Aujourd'hui			*Autrefois*			*Demain*	
je	chante		je	chantais		je	chanterai	
tu	chantes		tu	chantais		tu	chanteras	
il, elle	chante		il, elle	chantait		il, elle	chantera	
nous	chantons		nous	chantions		nous	chanterons	
vous	chantez		vous	chantiez		vous	chanterez	
ils, elles	chantent		ils, elles	chantaient		ils, elles	chanteront	

INDICATIF

Passé composé

Hier

j'	ai	chanté
tu	as	chanté
il, elle	a	chanté
nous	avons	chanté
vous	avez	chanté
ils, elles	ont	chanté

SUBJONCTIF

Présent

Il faut

que je	chante
que tu	chantes
qu'il, elle	chante
que nous	chantions
que vous	chantiez
qu'ils, elles	chantent

INFINITIF

chanter

PARTICIPES

Présent

chantant

Passé

chanté

172

Le subjonctif n'est pas au programme du cycle 2, mais tu l'utilises très souvent à l'oral, sans même t'en rendre compte !

avoir

INDICATIF

Présent		Imparfait		Futur	
Aujourd'hui		**Autrefois**		**Demain**	
j'	ai	j'	avais	j'	aurai
tu	as	tu	avais	tu	auras
il, elle	a	il, elle	avait	il, elle	aura
nous	avons	nous	avions	nous	aurons
vous	avez	vous	aviez	vous	aurez
ils, elles	ont	ils, elles	avaient	ils, elles	auront

INDICATIF

Passé composé			SUBJONCTIF Présent		INFINITIF
Hier			**Il faut**		avoir
j'	ai	eu	que j'	aie	
tu	as	eu	que tu	aies	**PARTICIPES**
il, elle	a	eu	qu'il, elle	ait	Présent
nous	avons	eu	que nous	ayons	ayant
vous	avez	eu	que vous	ayez	Passé
ils, elles	ont	eu	qu'ils, elles	aient	eu

être

INDICATIF

Présent		Imparfait		Futur	
Aujourd'hui		*Autrefois*		*Demain*	
je	suis	j'	étais	je	serai
tu	es	tu	étais	tu	seras
il, elle	est	il, elle	était	il, elle	sera
nous	sommes	nous	étions	nous	serons
vous	êtes	vous	étiez	vous	serez
ils, elles	sont	ils, elles	étaient	ils, elles	seront

INDICATIF

Passé composé
Hier

j'	ai	été
tu	as	été
il, elle	a	été
nous	avons	été
vous	avez	été
ils, elles	ont	été

SUBJONCTIF

Présent
Il faut

que je	sois
que tu	sois
qu'il, elle	soit
que nous	soyons
que vous	soyez
qu'ils, elles	soient

INFINITIF

être

PARTICIPES

Présent

étant

Passé

été

chanter

INDICATIF

	Présent		Imparfait		Futur
	Aujourd'hui		Autrefois		Demain
je	chante	je	chantais	je	chanterai
tu	chantes	tu	chantais	tu	chanteras
il, elle	chante	il, elle	chantait	il, elle	chantera
nous	chantons	nous	chantions	nous	chanterons
vous	chantez	vous	chantiez	vous	chanterez
ils, elles	chantent	ils, elles	chantaient	ils, elles	chanteront

INDICATIF

Passé composé
Hier

j'	ai	chanté
tu	as	chanté
il, elle	a	chanté
nous	avons	chanté
vous	avez	chanté
ils, elles	ont	chanté

SUBJONCTIF

Présent
Il faut

que je	chante
que tu	chantes
qu'il, elle	chante
que nous	chantions
que vous	chantiez
qu'ils, elles	chantent

INFINITIF
chanter

PARTICIPES

Présent

chantant

Passé

chanté

172

d'autres verbes en -er

★ Observe bien les terminaisons et tu pourras conjuguer
presque tous les verbes en -er.
Mais attention, pour quelques verbes, une lettre peut changer
avant la terminaison !

jouer	avancer	manger

au présent

je	jou-e	j'	avanc-e	je	mang-e
tu	jou-es	tu	avanc-es	tu	mang-es
il, elle	jou-e	il, elle	avanc-e	il, elle	mang-e
nous	jou-ons	nous	avanç-ons	nous	mange-ons
vous	jou-ez	vous	avanc-ez	vous	mang-ez
ils, elles	jou-ent	ils, elles	avanc-ent	ils, elles	mang-ent

à l'imparfait

je	jou-ais	j'	avanç-ais	je	mange-ais
tu	jou-ais	tu	avanç-ais	tu	mange-ais
il, elle	jou-ait	il, elle	avanç-ait	il, elle	mange-ait
nous	jou-ions	nous	avanc-ions	nous	mang-ions
vous	jou-iez	vous	avanc-iez	vous	mang-iez
ils, elles	jou-aient	ils, elles	avanç-aient	ils, elles	mange-aient

aller

INDICATIF

	Présent *Aujourd'hui*		Imparfait *Autrefois*		Futur *Demain*
je	vais	j'	allais	j'	irai
tu	vas	tu	allais	tu	iras
il, elle	va	il, elle	allait	il, elle	ira
nous	allons	nous	allions	nous	irons
vous	allez	vous	alliez	vous	irez
ils, elles	vont	ils, elles	allaient	ils, elles	iront

INDICATIF

Passé composé *Hier*

je	suis	allé, allée
tu	es	allé, allée
il, elle	est	allé, allée
nous	sommes	allés, allées
vous	êtes	allés, allées
ils, elles	sont	allés, allées

SUBJONCTIF

Présent *Il faut*

que j'	aille
que tu	ailles
qu'il, elle	aille
que nous	allions
que vous	alliez
qu'ils, elles	aillent

INFINITIF

aller

PARTICIPES

Présent

allant

Passé

allé

finir

INDICATIF

Présent
Aujourd'hui

je	finis
tu	finis
il, elle	finit
nous	finissons
vous	finissez
ils, elles	finissent

Imparfait
Autrefois

je	finissais
tu	finissais
il, elle	finissait
nous	finissions
vous	finissiez
ils, elles	finissaient

Futur
Demain

je	finirai
tu	finiras
il, elle	finira
nous	finirons
vous	finirez
ils, elles	finiront

INDICATIF

Passé composé
Hier

j'	ai	fini
tu	as	fini
il, elle	a	fini
nous	avons	fini
vous	avez	fini
ils, elles	ont	fini

SUBJONCTIF

Présent
Il faut

que je	finisse
que tu	finisses
qu'il, elle	finisse
que nous	finissions
que vous	finissiez
qu'ils, elles	finissent

INFINITIF
finir

PARTICIPES

Présent
finissant

Passé
fini

175

venir

INDICATIF

	Présent			Imparfait			Futur	
	Aujourd'hui			*Autrefois*			*Demain*	
je	viens		je	venais		je	viendrai	
tu	viens		tu	venais		tu	viendras	
il, elle	vient		il, elle	venait		il, elle	viendra	
nous	venons		nous	venions		nous	viendrons	
vous	venez		vous	veniez		vous	viendrez	
ils, elles	viennent		ils, elles	venaient		ils, elles	viendront	

INDICATIF

Passé composé
Hier

je	suis	venu, venue
tu	es	venu, venue
il, elle	est	venu, venue
nous	sommes	venus, venues
vous	êtes	venus, venues
ils, elles	sont	venus, venues

SUBJONCTIF

Présent
Il faut

que je	vienne
que tu	viennes
qu'il, elle	vienne
que nous	venions
que vous	veniez
qu'ils, elles	viennent

INFINITIF

venir

PARTICIPES

Présent

venant

Passé

venu

partir

INDICATIF

Présent
Aujourd'hui

je	pars
tu	pars
il, elle	part
nous	partons
vous	partez
ils, elles	partent

Imparfait
Autrefois

je	partais
tu	partais
il, elle	partait
nous	partions
vous	partiez
ils, elles	partaient

Futur
Demain

je	partirai
tu	partiras
il, elle	partira
nous	partirons
vous	partirez
ils, elles	partiront

INDICATIF

Passé composé
Hier

je	suis	parti,	partie
tu	es	parti,	partie
il, elle	est	parti,	partie
nous	sommes	partis,	parties
vous	êtes	partis,	parties
ils, elles	sont	partis,	parties

SUBJONCTIF

Présent
Il faut

que je	parte
que tu	partes
qu'il, elle	parte
que nous	partions
que vous	partiez
qu'ils, elles	partent

INFINITIF

partir

PARTICIPES

Présent
partant

Passé
parti

voir

INDICATIF

Présent	Imparfait	Futur
Aujourd'hui	*Autrefois*	*Demain*

je	vois		je	voyais		je	verrai
tu	vois		tu	voyais		tu	verras
il, elle	voit		il, elle	voyait		il, elle	verra
nous	voyons		nous	voyions		nous	verrons
vous	voyez		vous	voyiez		vous	verrez
ils, elles	voient		ils, elles	voyaient		ils, elles	verront

INDICATIF

Passé composé
Hier

j'	ai	vu
tu	as	vu
il, elle	a	vu
nous	avons	vu
vous	avez	vu
ils, elles	ont	vu

SUBJONCTIF

Présent
Il faut

que je	voie
que tu	voies
qu'il, elle	voie
que nous	voyions
que vous	voyiez
qu'ils, elles	voient

INFINITIF

voir

PARTICIPES

Présent

voyant

Passé

vu

savoir

INDICATIF

	Présent			Imparfait			Futur	
	Aujourd'hui			*Autrefois*			*Demain*	
je	sais		je	savais		je	saurai	
tu	sais		tu	savais		tu	sauras	
il, elle	sait		il, elle	savait		il, elle	saura	
nous	savons		nous	savions		nous	saurons	
vous	savez		vous	saviez		vous	saurez	
ils, elles	savent		ils, elles	savaient		ils, elles	sauront	

INDICATIF

Passé composé
Hier

j'	ai	su
tu	as	su
il, elle	a	su
nous	avons	su
vous	avez	su
ils, elles	ont	su

SUBJONCTIF

Présent
Il faut

que je	sache
que tu	saches
qu'il, elle	sache
que nous	sachions
que vous	sachiez
qu'ils, elles	sachent

INFINITIF

savoir

PARTICIPES

Présent

sachant

Passé

su

vouloir

INDICATIF

<table>
<tr><td colspan="2">Présent
Aujourd'hui</td><td colspan="2">Imparfait
Autrefois</td><td colspan="2">Futur
Demain</td></tr>
<tr><td>je</td><td>veux</td><td>je</td><td>voulais</td><td>je</td><td>voudrai</td></tr>
<tr><td>tu</td><td>veux</td><td>tu</td><td>voulais</td><td>tu</td><td>voudras</td></tr>
<tr><td>il, elle</td><td>veut</td><td>il, elle</td><td>voulait</td><td>il, elle</td><td>voudra</td></tr>
<tr><td>nous</td><td>voulons</td><td>nous</td><td>voulions</td><td>nous</td><td>voudrons</td></tr>
<tr><td>vous</td><td>voulez</td><td>vous</td><td>vouliez</td><td>vous</td><td>voudrez</td></tr>
<tr><td>ils, elles</td><td>veulent</td><td>ils, elles</td><td>voulaient</td><td>ils, elles</td><td>voudront</td></tr>
</table>

Passé composé
Hier

j'	ai	voulu
tu	as	voulu
il, elle	a	voulu
nous	avons	voulu
vous	avez	voulu
ils, elles	ont	voulu

INFINITIF
vouloir

PARTICIPES

Présent
voulant

Passé
voulu

pouvoir

INDICATIF

Présent		Imparfait		Futur	
Aujourd'hui		*Autrefois*		*Demain*	
je	peux	je	pouvais	je	pourrai
tu	peux	tu	pouvais	tu	pourras
il, elle	peut	il, elle	pouvait	il, elle	pourra
nous	pouvons	nous	pouvions	nous	pourrons
vous	pouvez	vous	pouviez	vous	pourrez
ils, elles	peuvent	ils, elles	pouvaient	ils, elles	pourront

Passé composé
Hier

j'	ai	pu
tu	as	pu
il, elle	a	pu
nous	avons	pu
vous	avez	pu
ils, elles	ont	pu

INFINITIF

pouvoir

PARTICIPES

Présent

pouvant

Passé

pu

---

devoir

INDICATIF

	Présent		Imparfait		Futur
	Aujourd'hui		*Autrefois*		*Demain*

	Présent		Imparfait		Futur
je	dois	je	devais	je	devrai
tu	dois	tu	devais	tu	devras
il, elle	doit	il, elle	devait	il, elle	devra
nous	devons	nous	devions	nous	devrons
vous	devez	vous	deviez	vous	devrez
ils, elles	doivent	ils, elles	devaient	ils, elles	devront

Passé composé
Hier

j'	ai	dû
tu	as	dû
il, elle	a	dû
nous	avons	dû
vous	avez	dû
ils, elles	ont	dû

INFINITIF
devoir

PARTICIPES
Présent

devant

Passé

dû

croire

INDICATIF

	Présent		Imparfait		Futur
	Aujourd'hui		*Autrefois*		*Demain*

	Présent		Imparfait		Futur
je	crois	je	croyais	je	croirai
tu	crois	tu	croyais	tu	croiras
il, elle	croit	il, elle	croyait	il, elle	croira
nous	croyons	nous	croyions	nous	croirons
vous	croyez	vous	croyiez	vous	croirez
ils, elles	croient	ils, elles	croyaient	ils, elles	croiront

Passé composé
Hier

j'	ai	cru
tu	as	cru
il, elle	a	cru
nous	avons	cru
vous	avez	cru
ils, elles	ont	cru

INFINITIF

croire

PARTICIPES

Présent

croyant

Passé

cru

faire

INDICATIF

Présent
Aujourd'hui

je fais
tu fais
il, elle fait
nous faisons
vous faites
ils, elles font

Imparfait
Autrefois

je faisais
tu faisais
il, elle faisait
nous faisions
vous faisiez
ils, elles faisaient

Futur
Demain

je ferai
tu feras
il, elle fera
nous ferons
vous ferez
ils, elles feront

INDICATIF

Passé composé
Hier

j' ai fait
tu as fait
il, elle a fait
nous avons fait
vous avez fait
ils, elles ont fait

SUBJONCTIF

Présent
Il faut

que je fasse
que tu fasses
qu'il, elle fasse
que nous fassions
que vous fassiez
qu'ils, elles fassent

INFINITIF
faire

PARTICIPES

Présent
faisant

Passé
fait

184

dire

INDICATIF

Présent		Imparfait		Futur	
Aujourd'hui		*Autrefois*		*Demain*	
je	dis	je	disais	je	dirai
tu	dis	tu	disais	tu	diras
il, elle	dit	il, elle	disait	il, elle	dira
nous	disons	nous	disions	nous	dirons
vous	dites	vous	disiez	vous	direz
ils, elles	disent	ils, elles	disaient	ils, elles	diront

INDICATIF

Passé composé
Hier

j'	ai	dit
tu	as	dit
il, elle	a	dit
nous	avons	dit
vous	avez	dit
ils, elles	ont	dit

SUBJONCTIF

Présent
Il faut

que je	dise
que tu	dises
qu'il, elle	dise
que nous	disions
que vous	disiez
qu'ils, elles	disent

INFINITIF

dire

PARTICIPES

Présent

disant

Passé

dit

lire

INDICATIF

Présent	Imparfait	Futur
Aujourd'hui	*Autrefois*	*Demain*
je lis	je lisais	je lirai
tu lis	tu lisais	tu liras
il, elle lit	il, elle lisait	il, elle lira
nous lisons	nous lisions	nous lirons
vous lisez	vous lisiez	vous lirez
ils, elles lisent	ils, elles lisaient	ils, elles liront

INDICATIF

Passé composé
Hier

j'	ai	lu
tu	as	lu
il, elle	a	lu
nous	avons	lu
vous	avez	lu
ils, elles	ont	lu

SUBJONCTIF

Présent
Il faut

que je	lise
que tu	lises
qu'il, elle	lise
que nous	lisions
que vous	lisiez
qu'ils, elles	lisent

INFINITIF
lire

PARTICIPES

Présent
lisant

Passé
lu

écrire

INDICATIF

	Présent		Imparfait		Futur
	Aujourd'hui		*Autrefois*		*Demain*
j'	écris	j'	écrivais	j'	écrirai
tu	écris	tu	écrivais	tu	écriras
il, elle	écrit	il, elle	écrivait	il, elle	écrira
nous	écrivons	nous	écrivions	nous	écrirons
vous	écrivez	vous	écriviez	vous	écrirez
ils, elles	écrivent	ils, elles	écrivaient	ils, elles	écriront

INDICATIF

Passé composé
Hier

j'	ai	écrit
tu	as	écrit
il, elle	a	écrit
nous	avons	écrit
vous	avez	écrit
ils, elles	ont	écrit

SUBJONCTIF

Présent
Il faut

que j'	écrive
que tu	écrives
qu'il, elle	écrive
que nous	écrivions
que vous	écriviez
qu'ils, elles	écrivent

INFINITIF
écrire

PARTICIPES

Présent

écrivant

Passé

écrit

prendre

INDICATIF

	Présent *Aujourd'hui*		Imparfait *Autrefois*		Futur *Demain*
je	prends	je	prenais	je	prendrai
tu	prends	tu	prenais	tu	prendras
il, elle	prend	il, elle	prenait	il, elle	prendra
nous	prenons	nous	prenions	nous	prendrons
vous	prenez	vous	preniez	vous	prendrez
ils, elles	prennent	ils, elles	prenaient	ils, elles	prendront

INDICATIF

Passé composé
Hier

j'	ai	pris
tu	as	pris
il, elle	a	pris
nous	avons	pris
vous	avez	pris
ils, elles	ont	pris

SUBJONCTIF

Présent
Il faut

que je	prenne
que tu	prennes
qu'il, elle	prenne
que nous	prenions
que vous	preniez
qu'ils, elles	prennent

INFINITIF

prendre

PARTICIPES

Présent

prenant

Passé

pris

mettre

INDICATIF

	Présent *Aujourd'hui*
je	mets
tu	mets
il, elle	met
nous	mettons
vous	mettez
ils, elles	mettent

	Imparfait *Autrefois*
je	mettais
tu	mettais
il, elle	mettait
nous	mettions
vous	mettiez
ils, elles	mettaient

	Futur *Demain*
je	mettrai
tu	mettras
il, elle	mettra
nous	mettrons
vous	mettrez
ils, elles	mettront

INDICATIF

Passé composé
Hier

j'	ai	mis
tu	as	mis
il, elle	a	mis
nous	avons	mis
vous	avez	mis
ils, elles	ont	mis

SUBJONCTIF

Présent
Il faut

que je	mette
que tu	mettes
qu'il, elle	mette
que nous	mettions
que vous	mettiez
qu'ils, elles	mettent

INFINITIF

mettre

PARTICIPES

Présent

mettant

Passé

mis

L'écriture des minuscules

A a	B b	C c	D d
a	b	c	d

I i	J j	K k	L l
i	j	k	l

Q q	R r	S s	T t
q	r	s	t

Y y	Z z		
y	z		

E e	F f	G g	H h
e	*f*	*g*	*h*
M m	N n	O o	P p
m	*n*	*o*	*p*
U u	V v	W w	X x
u	*v*	*w*	*x*

Création de la maquette intérieure et réalisation : Guylaine Moi
Couverture : Pouty Design